20歳の自分に教えたい
イスラム世界

池上 彰

SB新書
660

はじめに――いまこそ、イスラム世界に対する深い理解を

　コロナ禍が収束して以降、日本全国各地に海外の観光客がやってきています。円安の影響が大きいとはいえ、日本の魅力がそれだけ世界に知られるようになったことも大きいでしょう。

　こうした観光客の中にスカーフで髪を隠した女性の姿をしばしば見るようになりました。国際線の空港や新しいショッピングセンターには「祈禱室」（お祈りの部屋）が設置されるようになりました。イスラム教徒への配慮です。イスラム教徒は一日五回の礼拝が義務付けられているからです。

　ハラルレストランも増え始めています。「ハラル」とは「許されているもの」という意味で、豚肉やアルコールが使われておらずイスラム教徒が安心して食べられるもの

を指します。いまやイスラム教徒を対象にしたビジネスが盛んになっています。

しかし、そのわりに日本に住んでいる私たちは「イスラム」について多くを知らないのではないでしょうか。

私たちがイスラムについて見聞きするのは主に中東での紛争についてのニュースを通じてでしょうか。2023年10月、パレスチナ自治区のガザを拠点にするイスラム組織「ハマス」がイスラエルを奇襲攻撃し、多くの犠牲者が出ると、イスラエルは報復としてガザを攻撃。多くの民間人が犠牲になっています。

イスラムという用語が、こういうニュースの中に頻発すると、「イスラムは怖い」というイメージばかりになってしまいます。でも、実際はそうではないのです。

いま世界には20億人ものイスラム教徒がいると推定されています。その多くは、当たり前ですが平和な暮らしを送っています。唯一絶対の神（アッラー）を信じ、神が預言者ムハンマドに与えた言葉をまとめた『コーラン』（クルアーン）に書かれた通りの行いを守っていれば、世界の終わりが来た時に神による最後の審判を受けて天国に行けると信じているのです。

人生のすべてを神に委ねる（帰依する）生活をしていれば天国に行ける。なんと心が安らぐ教えであることか。だからこそイスラム教徒は増え続けているのです。

では、なぜ中東でイスラム教徒も関係した紛争が続いているのでしょうか。その理由の多くは宗教対立ではなく、「土地をめぐる争い」なのです。この土地は誰のものか、という争いなのです。その経緯については、本文をお読みください。

でも、中東の紛争はユダヤ人の国イスラエルとイスラム教徒のアラブ人との対立に見えることがしばしばです。ユダヤ教とイスラム教は、どこがどう異なるのか。さらにキリスト教はどう関わるのか。いわゆる「兄弟宗教」と言われる三つの一神教は、どんな関係なのか。この関係が整理できれば、あなたの国際情勢への理解度は格段に向上するでしょう。

この本はテレビ朝日系列で放送されている「池上彰のニュースそうだったのか!!」の内容をベースにしています。番組では中東問題をしばしば取り上げてきました。また本文にあるように2023年末にはサウジアラビアを取材しました。そこで見たものは、10年前から激変した社会でした。イスラム世界も大きく変化しているのです。

いまこそイスラム世界に対する理解を深めましょう。この書がその一助になれば幸いです。

完成に当たっては、編集者の美野晴代さんの尽力がありました。感謝しています。

2024年6月

ジャーナリスト　池上　彰

20歳の自分に教えたいイスラム世界　目次

第2章 ハマスとはどんな組織か?

第3章　イスラエルとはどんな国か？
――建国に込められたユダヤ人存続の思い……95

第4章 サウジアラビアとはどんな国か？
――中東問題のカギを握る王国

第5章 世界はイスラム世界とどう付き合うか？

——アメリカ、中国、ロシア、日本の立場を知る……181

第1章

イスラム教ってどんな宗教？

――「イスラムの世界」がわかると世界が見える

◉ハマスの奇襲にイスラエルが反撃、双方に多数の死者

２０２３年10月7日に始まったイスラエルとイスラム武装組織ハマスとの戦闘は、半年以上経った今も続いていて、終わりが見えません。

その日、パレスチナのガザ地区からイスラエル各地に向けて撃ち込まれたロケット弾は２０００発を超えます。ハマスの戦闘員たちはパラグライダーで境界の壁を超えてイスラエル領内に次々と降り立ち、他の戦闘員たちも頑丈な壁を破壊してイスラエル側に侵入、音楽祭を楽しんでいた人々や地域住民、兵士らを襲って殺害し、誘拐《ゆうかい》しました。

この時の奇襲攻撃で死亡した人は約１２００人、連れ去られた人質の総数は２４０人以上と発表されています。

これを受けてイスラエルは報復として直ちに空爆を行い、準備を整えたのち地上作戦を開始しました。

イスラエル軍の激しい攻撃でハマスが実効支配するガザ地区は北から南まで徹底的

ハマスによるイスラエルへの奇襲攻撃

イスラエルのテルアビブ南部でロケット弾の落下により倒壊した建物と、破壊され、埃をかぶった車

写真：Abaca Press／共同通信

に破壊され、ガザ地区の保健当局は24年5月12日現在、3万5034人が死亡したと発表しています。ほかにも多くの人ががれきの下敷きになっているとみられます。

中東で突如始まった武力衝突。一般市民に多数の犠牲者が出る事態となり、なぜこんなことになったのかと多くの人が胸を痛めています。

中東の出来事は必ずしも宗教が原因で起きているわけではないのですが、宗教について知らなければ理解できない面があることも事実です。特にイスラム教やイスラム世界がわかると中東問題がよくわかり、それがわかると国際情勢も理解しやすくなります。そこでまず、日本にいるとあまりなじみのないイスラム教について解説することから始めましょう。

その前に場所を確認しておくと、イスラエルは中東の地中海に面した南北に細長い国で、日本の西方約9000キロ離れたところにあります。成田とイスラエルのテルアビブは直行便で結ばれていて、日本からは12時間で行くことができます（軍事衝突を受けて運休していましたが、2024年3月7日から再開）。昔と比べるとだいぶ身近な存在になりました。

そして、大きなニュースになっているのがパレスチナ自治区です。次ページの図に示したようにヨルダン川西岸地区とガザ地区の二つに分かれています。

今回、特に注目を集めたのはガザ地区で、ここからイスラエルに対して大規模な攻撃が行われました。

攻撃したのはハマスというイスラム武装組織です。ハマスはそもそもイスラエルという国を認めておらず、これまでもたびたびイスラエルに攻撃を仕掛けてきました。そのため、アメリカや日本はこの組織を「国際テロ組織」に指定しています。

日本の西方、地中海に面するイスラエル

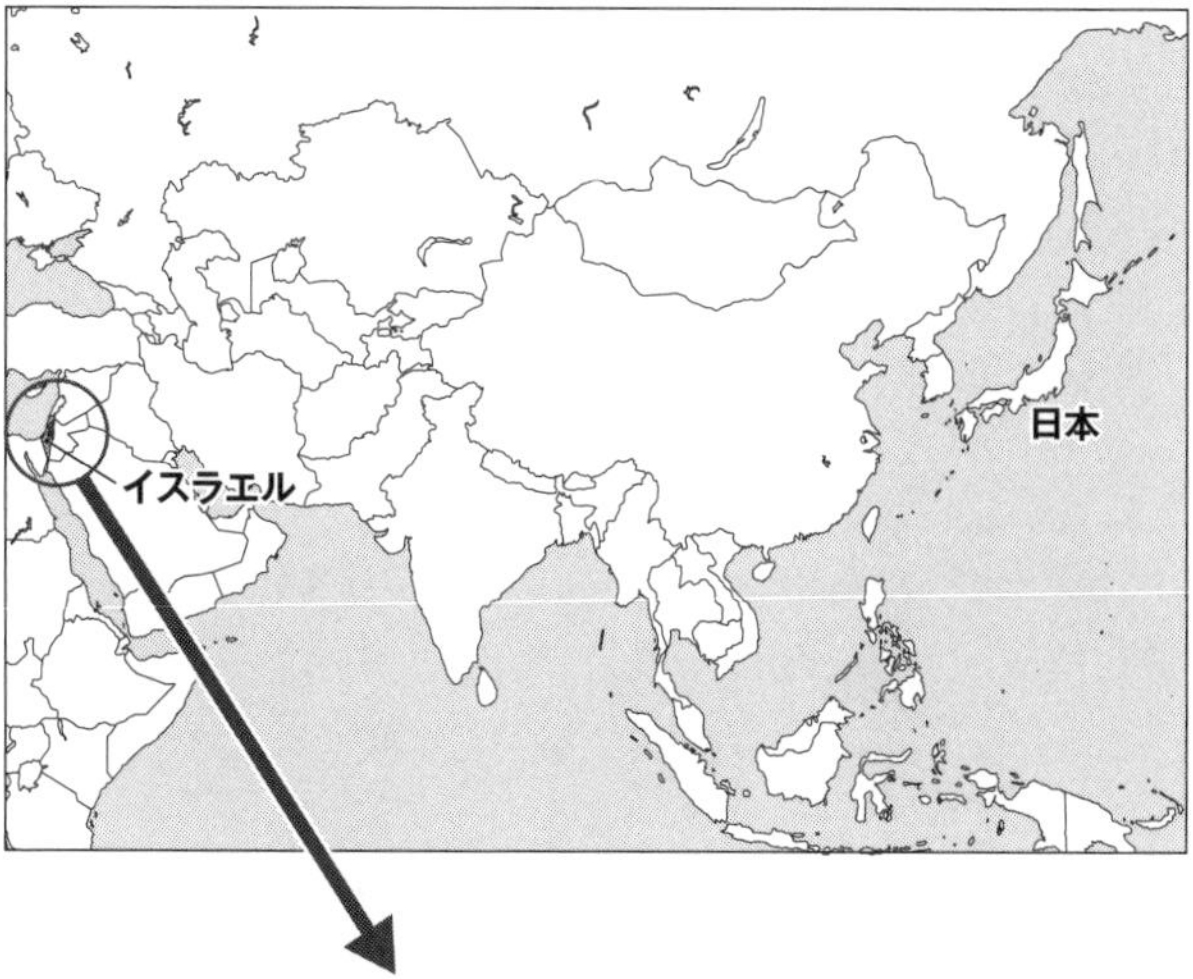

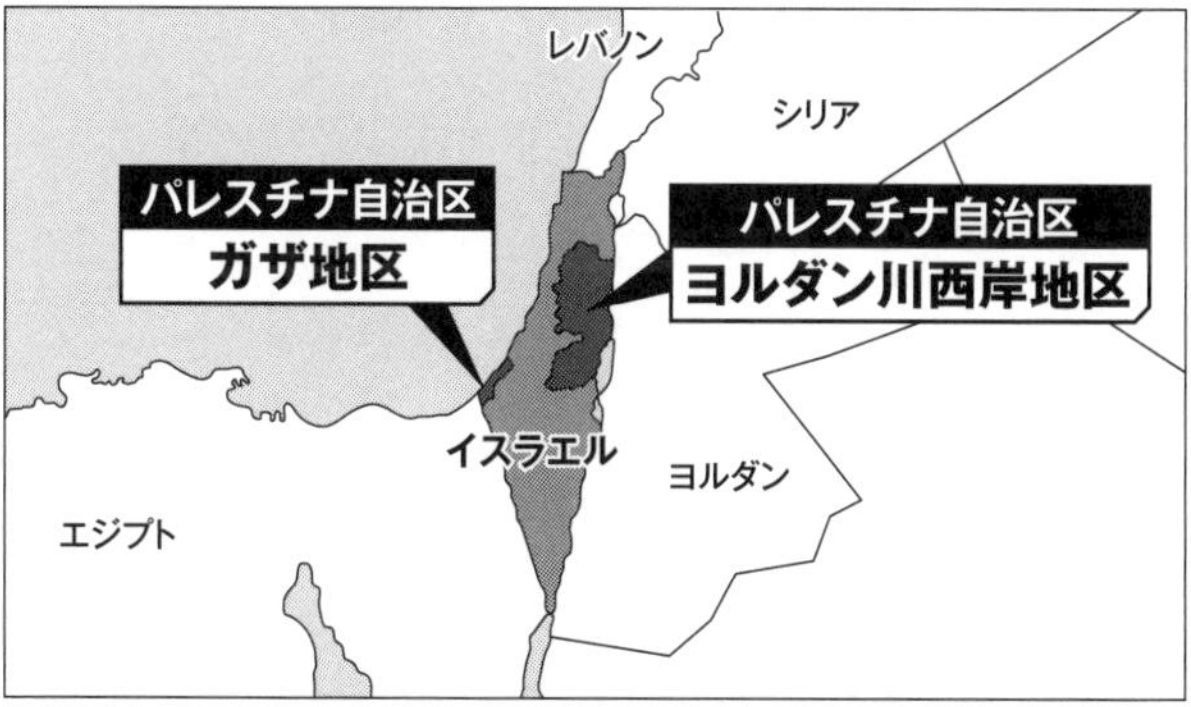

二つに分かれているパレスチナ自治区

●世界三大宗教とは？

イスラエルとハマスが戦う訳はイスラム教のことを知るとよくわかります。

そこで問題です。イスラム教は世界三大宗教の一つですが、あと二つは何でしょうか？　これは簡単ですね。キリスト教と仏教です。この三つを世界宗教と呼ぶのは、国を超えて世界の様々な国・地域で広まっているからです。

信者の数だけ見れば、ヒンドゥー教も入れて世界四大宗教と言ってもいいかもしれません。でも、いくら信者の数が多くても、ヒンドゥー教はほとんどインドでしか信仰されておらず、世界宗教とは言えないのです。信者数が多く、なおかつ国を超えて広まっている宗教は、キリスト教、仏教、イスラム教の三つに限られます。

このうち、宗教の教えが国の憲法になっているのはイスラム教だけです。政教分離ではなく政教一致。日本からはなかなか理解できない国の在り方です。

そんな理解しがたいことを実現してしまうイスラム教とは、一体どんな宗教なのでしょうか。

世界の宗教

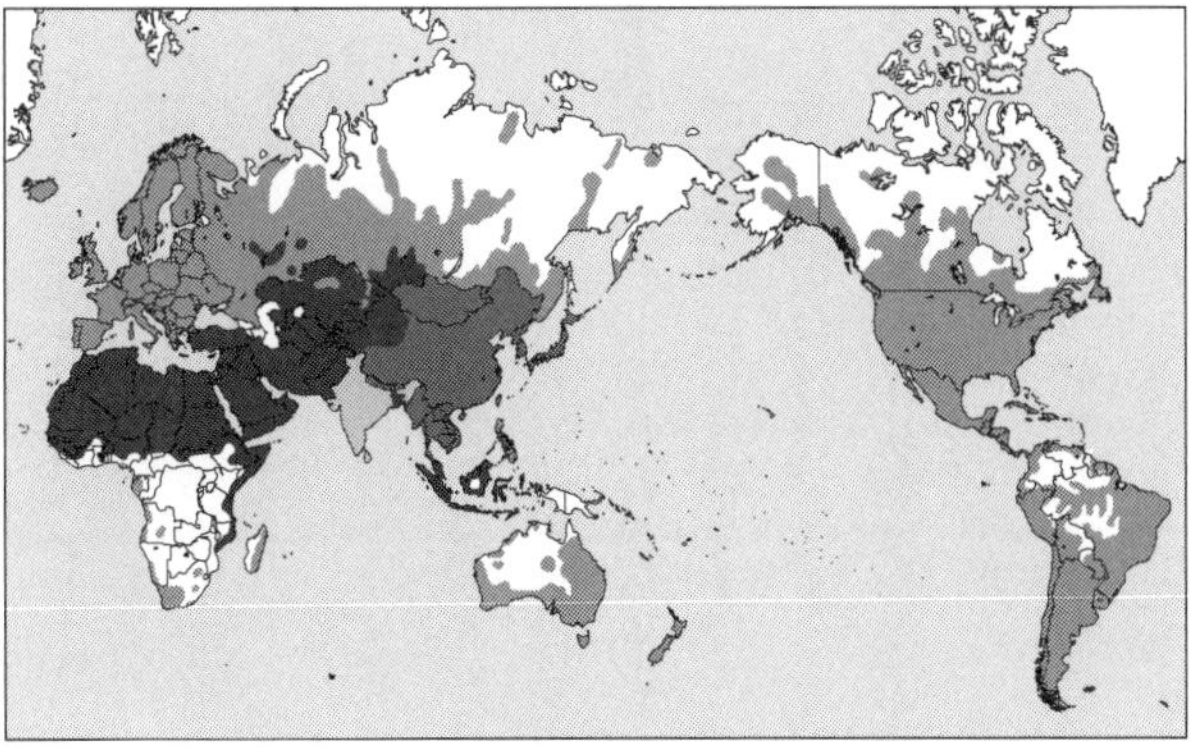

出典：外務省・IPA「教育用画像素材集サイト」

キリスト教	約26億人
イスラム教	約20億人
ヒンドゥー教	約11億人
仏　教	約5億人

出典：World Christianity and Religions 2022

◉ユダヤ教、キリスト教、イスラム教の神は同じ

イスラム教が始まったのは7世紀です。その誕生に大きく関係している二つの宗教があります。

一つは1世紀に誕生したキリスト教、もう一つは紀元前6世紀頃に誕生し（諸説あります）、イスラエルに信者が多いユダヤ教です。

実はこの三つの宗教は同じ神様を信じています。全く違う神様を信じていると思っている人がいたら、それは違います。世界をつくった唯一絶対の神様を信じるという点で三つの宗教は同じなのです。

ユダヤ教の信徒は神様のことをヤハウェと言い、キリスト教徒も神様をヤハウェと呼びます。ではイスラム教は神様のことを何と呼びますか？

アッラーです。

神様のことをアラビア語でアッラーと言います。ですから、「アッラーはイスラム教の神様だ」というのは間違った言い方です。同じ神様を指してユダヤ教とキリスト教

三つの宗教の神様は同じ

はヤハウェと言い、イスラム教はアッラーと呼んでいるわけです。

●信じる神は同じなのに、なぜ違う宗教なのか？

ここでこんな疑問が湧きませんか。

「同じ神様なら一つの宗教でいいはず。なぜ三つの宗教が生まれたのだろう？」

もっともな疑問ですよね。これについては次のように考えることができます。

キリスト教の誕生は、イエス・キリスト（紀元前6年頃～後30年頃。諸説あります）の活動がきっかけでした。イエスはもともとユダヤ教徒で、ユダヤ教の改革運動を行った人物です。つまり、キリスト教はユダヤ教から生まれた宗教です。『聖書』もイエスとその弟子の言葉をまとめたものを新約聖書、ユダヤ教の聖書を旧約聖書と呼んで区別しています。

ところが、旧約聖書という言い方はキリスト教の立場からの見方で、ユダヤ教の信者にそんな言い方をすると失礼にあたります。「聖書はこれ一つだけだ。何が古い約束だ！」と怒られるかもしれません。

一方、キリスト教徒にとっては新約聖書も旧約聖書も聖書で、どちらも大切なものです。なお、新約、旧約の「約」とは、神様との契約という意味です。翻訳の「訳」ではないので念のため。

イスラム教の場合、この『聖書』にあたるのが『コーラン』です。『コーラン』は神の言葉を記したとされるもの。では、その神の言葉を聞いたのは誰でしょうか？

預言者ムハンマド（570年頃～632年）ですね。昔はマホメットと言っていましたが、今はムハンマドと言います。なるべく原音に忠実に言い表そうという方針から、現地の人はムハンマドと言っているではないかということで、こういう言い方に

イスラム教の聖典に対する考え方

なりました。

『コーラン』も、最近はアラビア語の発音に近い表記で『クルアーン』と書くことが増えています。ただ、「クルアーン」はまだあまり一般的ではないので、以下では「コーラン」で統一することにします。

さて、イスラム教では、神様が古代イスラエルの民に神の言葉を与え、それを信じた人々がユダヤ教徒になったと考えます。そんなユダヤ教徒たちは神様の言いつけを正確に記録していない。したがって言いつけをちゃんと守れていない。そこで神様は改めてイエスに神の言葉を伝えた。ところが、キリスト教徒たちも正確に記録せず、ユダヤ教徒と同じ過ちを繰り返してしまった。そこで神様は最後の最後にムハンマドに神の言葉を伝えた。これがイスラム教の考え方です。

イスラム教にとっては、旧約聖書も新約聖書も『コーラン』も、いずれも神の言葉を伝えている大事な聖典です。けれども、最後の最後に与えられた『コーラン』が一番尊いものとなるわけです。

このように、ユダヤ教とキリスト教とイスラム教では考え方が異なり、別々の宗教として発展してきました。それでも同じ唯一絶対の神様を信じているため、三大一神教とも呼ばれています。

●三つの宗教の聖地があるエルサレム旧市街

同じ神様を信じているから聖地も同じ。それが今回の大規模戦闘の舞台となったイスラエルの中にあるエルサレムです。

エルサレム市内の東エルサレム側には旧市街と呼ばれる地域があります。この旧市

イスラム教の聖地「岩のドーム」

写真：Andrew Shiva

街はわずか1キロ四方と狭く、内部にユダヤ教、キリスト教、イスラム教の地区があり、それぞれの宗教の聖地もこの一帯に集中しています。

30ページの地図とイラストを見てください。「岩のドーム」はイスラム教の聖地になっていて、イスラム教を始めたムハンマドがここの岩から天に昇ってアッラーに会い、また戻ってきたというので、その岩を守るためにドームが作られました。

「岩のドーム」が建っている場所は、昔、ユダヤ教の神殿があったところです。ところが、その神殿はローマ帝国によって

ユダヤ教の聖地「嘆《なげ》きの壁」とキリスト教の聖地「聖墳墓教会」

写真：Golasso

写真：HEMIS／アフロ

破壊され、かろうじて壁だけが残りました。これがユダヤ教の聖地、「嘆きの壁」です。ユダヤ人たちが集まってきてお祈りをする場所として知られています。

もともとユダヤ教の改革運動をしていたイエスは、エルサレムで十字架にかけられて殺されました。イエスが十字架にかけられ、埋葬されたお墓もあったとされる地の上に建てられたのが聖墳墓教会というキリスト教の聖地です。

図を見ればわかるように、この街（エルサレム旧市街）には約1キロ四方に三つの宗教の聖地が全部入っています。同じ神様を信じているので、それぞれの宗教が大事にしているエピソードも同じ場所が舞台になったと考えられます。

●エルサレムはどこの国のもの？

ところで、あなたはエルサレムをイスラエルの首都だと思っていませんか。そう思ってしまうのは無理もないのですが、外務省のホームページには「日本を含め国際社会の大多数には認められていない」と書いてあります。これはどういうことでしょうか？

三つの宗教の聖地があるエルサレム

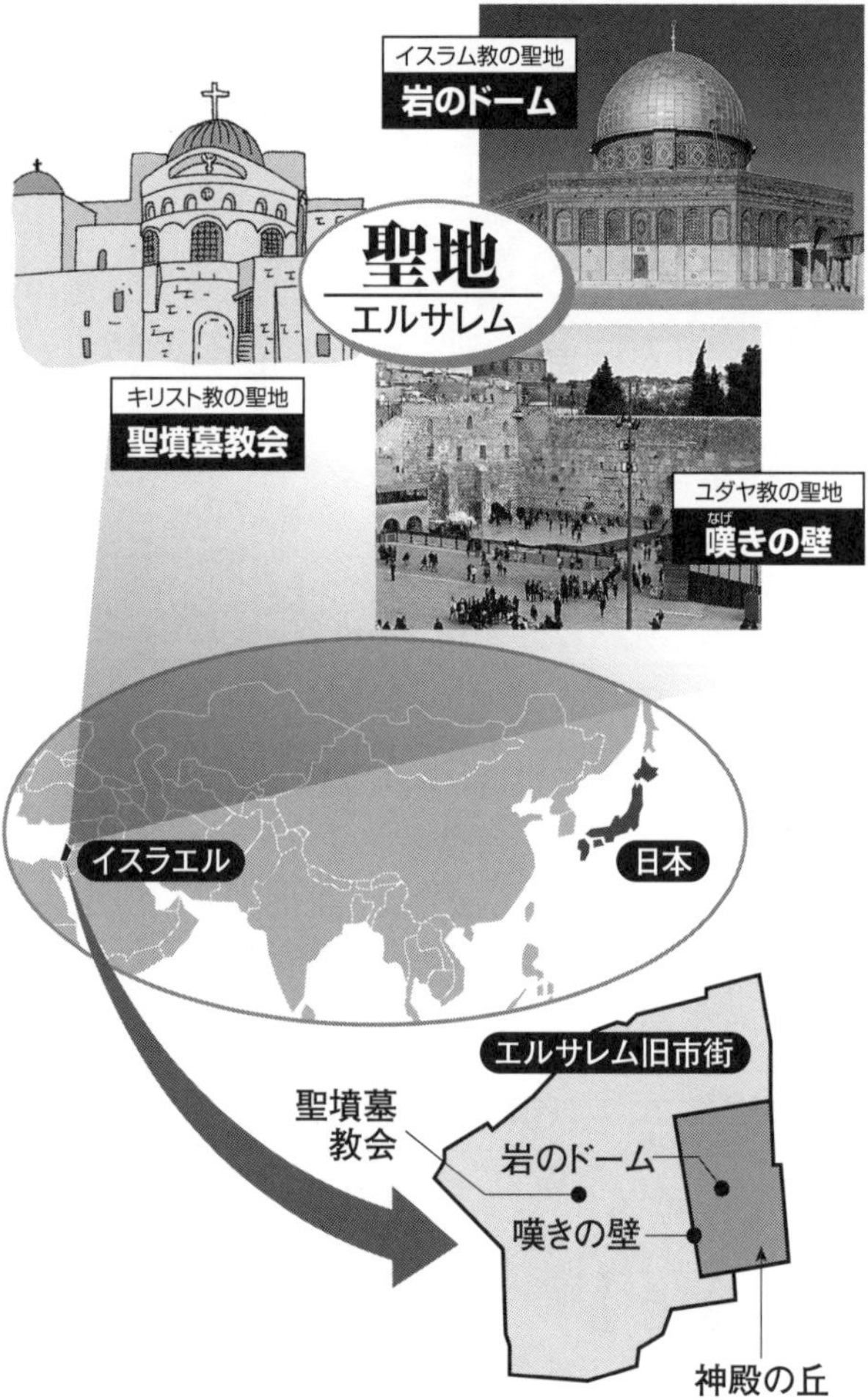

エルサレムはどこの国のものでもない

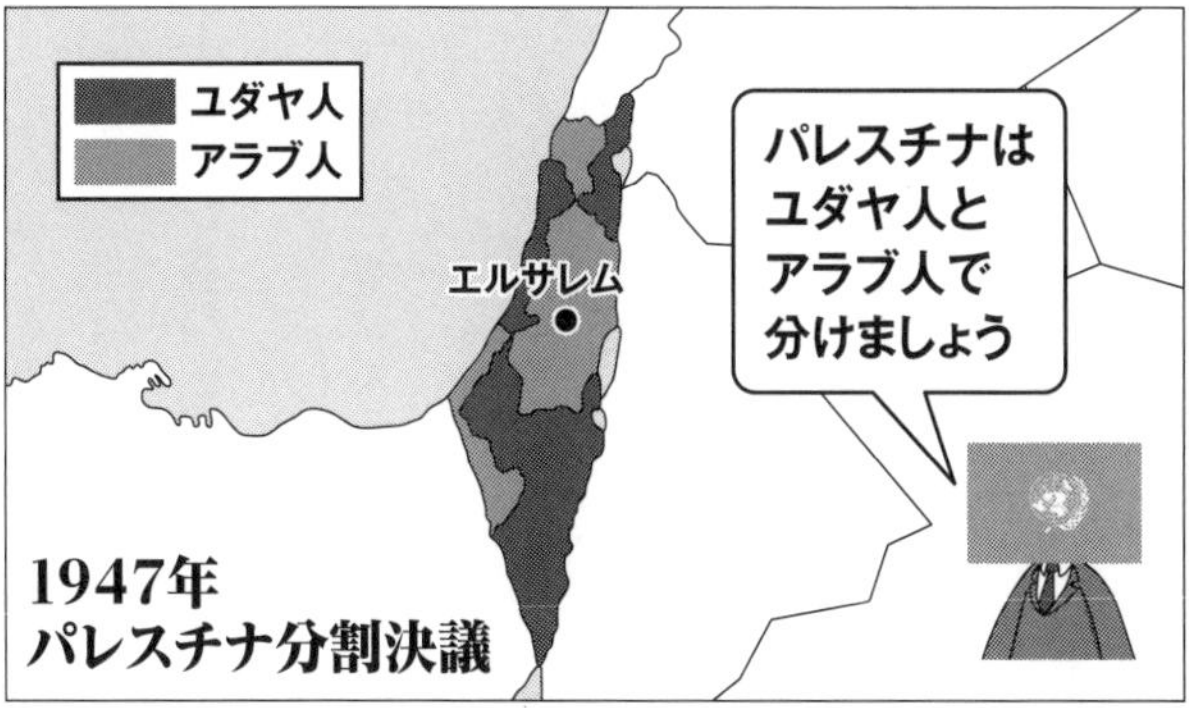

第二次世界大戦後の1947年、国連が「パレスチナ分割決議」を採択して、今のイスラエルとパレスチナ自治区のある一帯にアラブ人とユダヤ人の二つの国を作ることを決めました。そのとき、三つの聖地があるエルサレムは、特定の国のものにすると大きなトラブルが生じかねないため、国連が管理する「国際管理都市」に指定されたのです。要するに、国連の決定に従えば、エルサレムはどこの国のものでもないということです。

ところが、その後イスラエルが占領して「エルサレムはわれわれの首都である」と宣言しました（実質的な首都機能は地中海沿岸のテルアビブに置かれています）。アメリカもエルサレムはイスラエルの首都だと言っています。しかし、世界の大半の国々はこれを認めていません。日本もまたエルサレムをイスラエルの首都とは認めていないのです。実質的な首都として機能しているのは、経済と技術の中心地をなすテルアビブです。

イスラエルとパレスチナ自治区には主にユダヤ人とアラブ人が住んでいます。イスラエルは主にユダヤ人、パレスチナ自治区は主にアラブ人です。ユダヤ人はユダヤ教、アラブ人はイスラム教を主に信仰しています。だからこそ、この聖地エルサレムをめぐって長い間もめているわけです。

◉イスラム教徒は世界にどれくらいいる？

イスラム教の信者は世界にどれくらいいるかご存じですか？

イスラム教徒は現在、約20億人いるといわれています（出典：World Christianity and Religions 2022）。世界人口が約80億人ですから世界の4人に一人はイスラム教徒です。キリスト教徒は世界で約26億人ということなので、数年後にはキリスト教を抜いてイ

世界のイスラム教徒

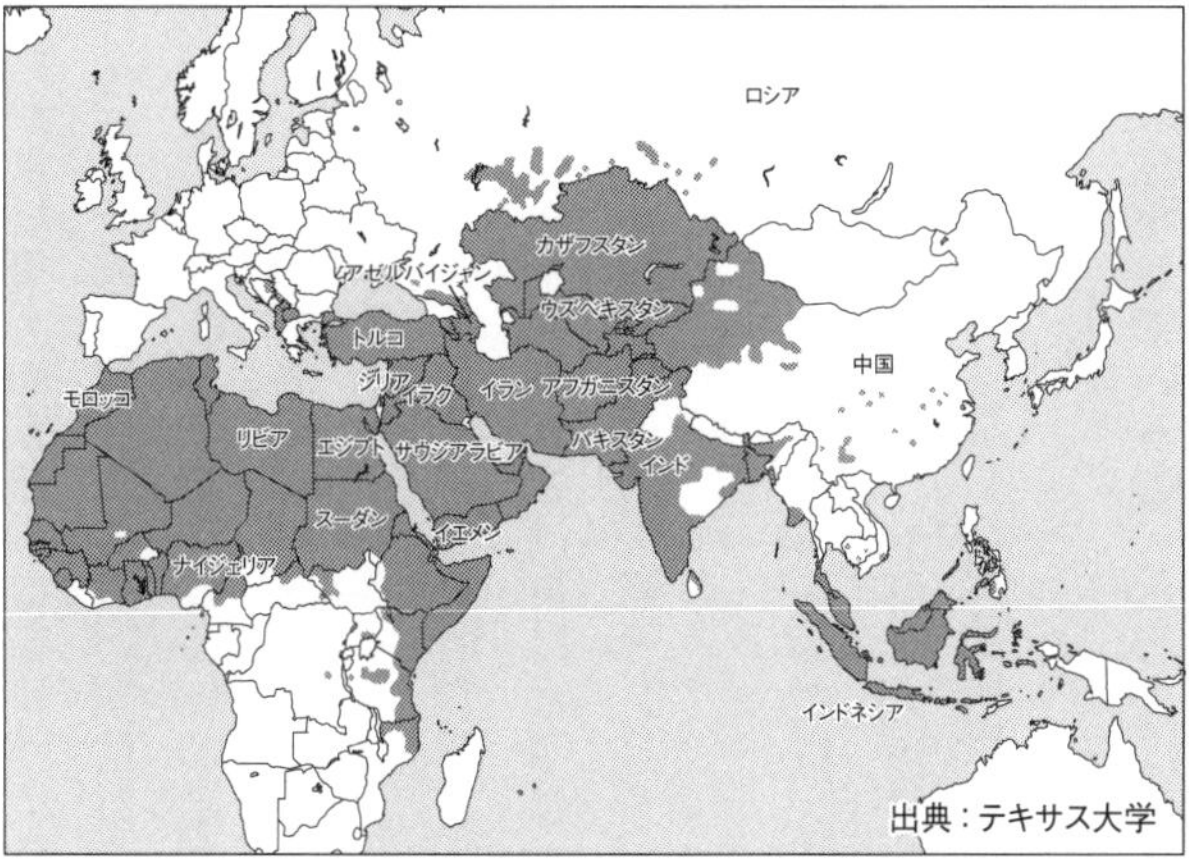
ロシア
カザフスタン
アゼルバイジャン
ウズベキスタン
トルコ
中国
シリア
イラク
イラン
アフガニスタン
モロッコ
リビア
エジプト
サウジアラビア
パキスタン
インド
スーダン
イエメン
ナイジェリア
インドネシア
出典：テキサス大学

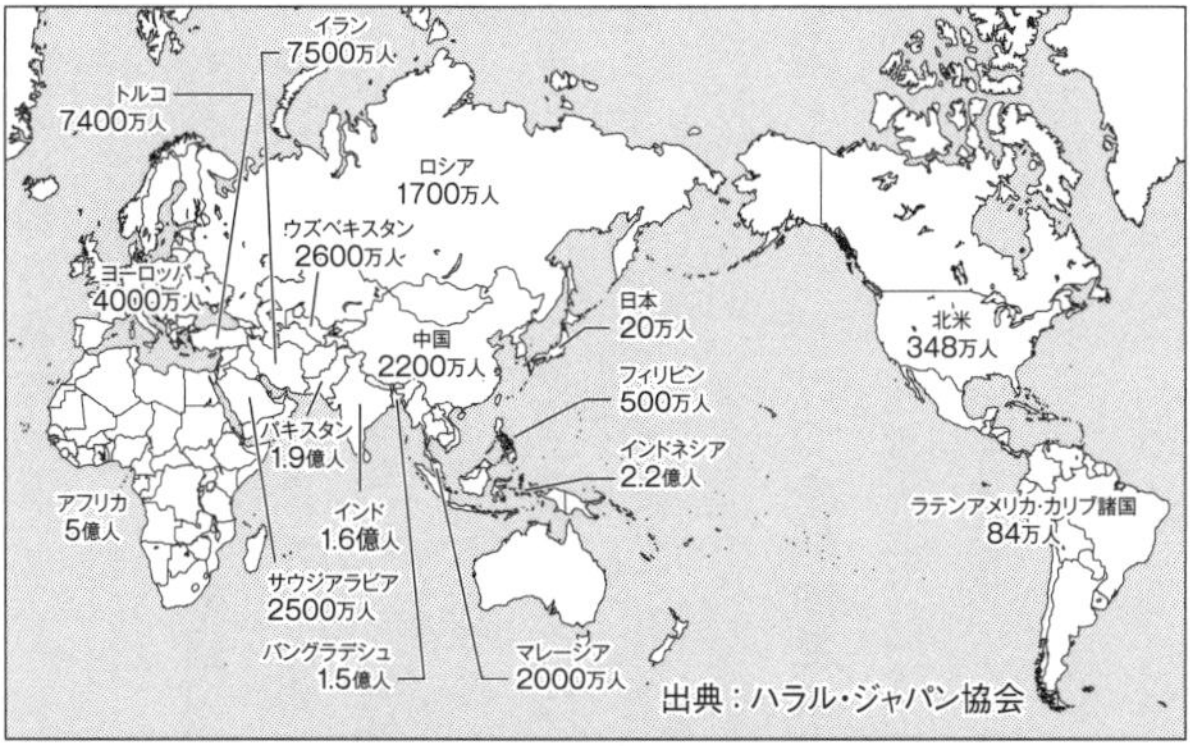
イラン
7500万人
トルコ
7400万人
ロシア
1700万人
ウズベキスタン
2600万人
ヨーロッパ
4000万人
日本
20万人
中国
2200万人
北米
348万人
フィリピン
500万人
パキスタン
1.9億人
インドネシア
2.2億人
アフリカ
5億人
インド
1.6億人
ラテンアメリカ・カリブ諸国
84万人
サウジアラビア
2500万人
バングラデシュ
1.5億人
マレーシア
2000万人
出典：ハラル・ジャパン協会

いちばん多いのは ~~中東の~~国

スラム教が世界最大の宗教人口を持つようになるかもしれません。

では、イスラム教徒が一番多い国はどこでしょうか？

中東のサウジアラビアが一番多いと思うかもしれませんが、実は東南アジアのインドネシアです。世界各地のイスラム教徒人口を図にまとめました。これを見ると、インドネシアが2・2億人なのに対し、サウジアラビアは2500万人。意外なことに、イスラム教徒が一番多いのは中東の国ではないのです。

中東で興ったイスラム教は東にも西にも広まっていき、世界の多くの国々で信仰されるようになりました。最近はインドやバングラデシュなどの南アジアとアフリカ諸国でも信者が増えています。

イスラム教の人口が増えているのは、出生率が高いのが一つの理由です。女性一人当たり平均3・1人生んでいるというデータ（推計。出典：日本ムスリムファッション協会）もあり、中には結婚した男性に奥さんを4人まで持つことを認めている国もあります。

また人口が増えている国（たとえばインド）で増加傾向にあり、これが世界全体の

イスラム教への改宗は簡単

アッラーの他に神は無し
ムハンマドは神の使徒なり
アラビア語で2回唱える

イスラム教徒人口を押し上げる要因となっています。さらに言えば、若い信者が多いのも特徴で、全イスラム教徒のうち約34パーセントが15歳以下です。(推計。出典：日本ムスリムファッション協会)

◉日本でもイスラム教に改宗する人が増えている

イスラム教徒は日本でも増えています。十数年前は日本のイスラム教徒は約10万人と見られていたのですが、今では倍増していて、2020年末時点で約23万人というデータがあります。(出典：早稲田大学・店田廣文名誉教授の推計資料)

増加の理由として考えられるのは結婚です。たとえば、日本の女性がイスラム教徒のマレーシア人やインドネシア人と結婚すると、イスラム教への改宗を求められます。あるいは、イスラム教の女性はイスラム教の男性としか結婚できませんから、日本の男性も「あなたと結婚したいけど、あなたがイスラム教徒にならないと結婚できません」と言われると、「わかりました。イスラム教徒になります」と言って改宗するわけです。このように結婚を機にイスラム教に改宗する人が結構いるといわれています。

イスラム教への改宗は簡単です。大人の男性の場合、イスラム教徒の男性2名の前で「アッラーの他に神は無し。ムハンマドは神の使徒なり」とアラビア語で2回繰り返すだけでイスラム教徒になれます。

改宗の手続きが簡単なことも、イスラム教徒が増えている理由の一つです。

●戒律が非常に厳しい国もある！

ちなみに、イスラム教は入るのは簡単ですが、やめるのは難しい宗教です。改宗したら死をもって償うという考え方があるからです。イスラム教をやめることは死に値

二つの聖地があるサウジアラビア

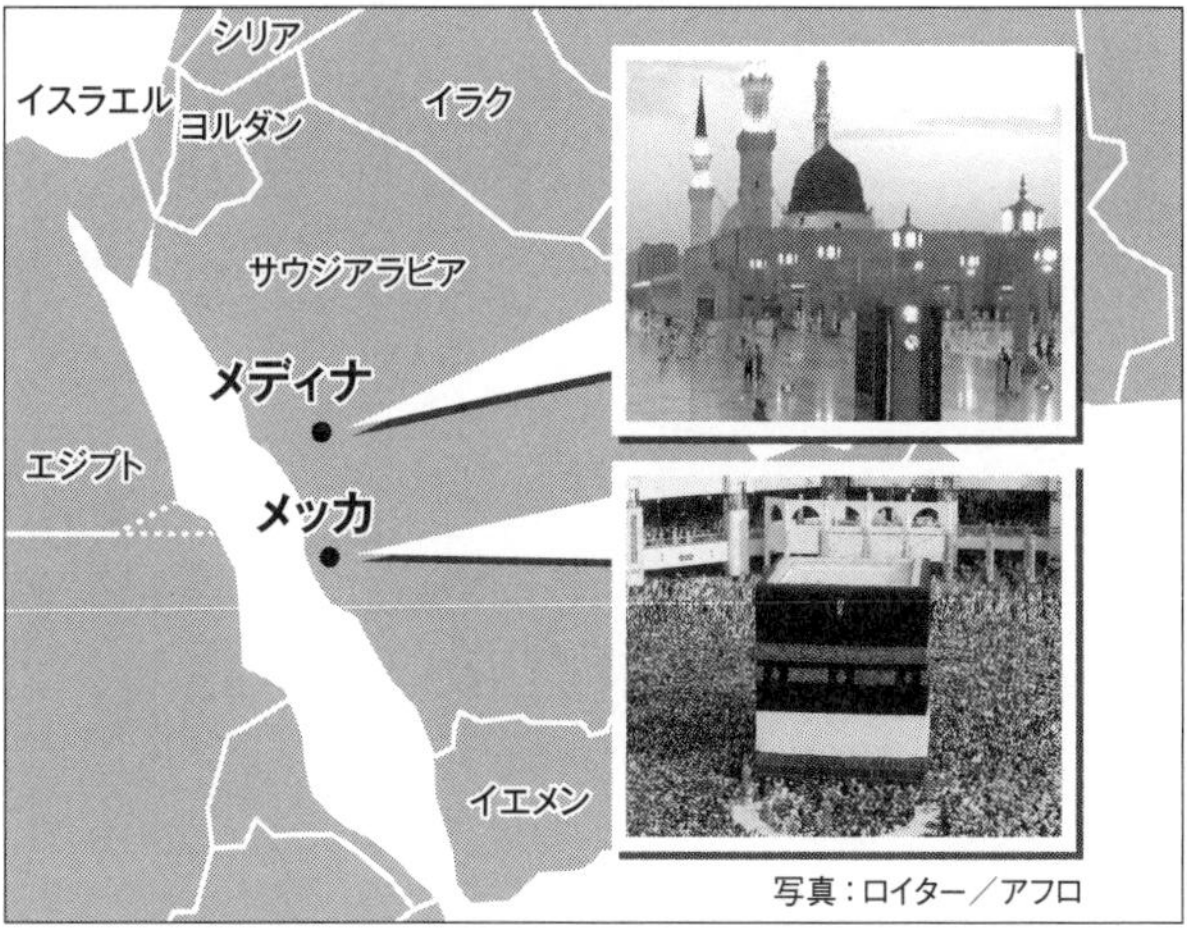

写真：ロイター／アフロ

する罪だということですね。実際、サウジアラビアやイラン、パキスタンなどでは死刑になることがあります。

中でもサウジアラビアは、メッカとメディナという二つの聖地を持ち、イスラム世界の中心的存在です。国民全員がイスラム教徒で、戒律が一番厳しいともいわれており、改宗は認められていません。

なぜかというと、サウジアラビアの憲法は『コーラン』なのです。サウジアラビアでは、欧米や日本とは異なり、主権は神様にあるという考え方を採っています。人間が憲法を作ると、まるで人間に主権があるみたいでおかしい。主権者は神様で、その神様が人間たちにこうしなさいと教えたものが『コーラン』だ。だから『コーラン』こそ国の憲法にふさわしい、というわけです。

のちに統治基本法という法律はできたのですが、基本的には『コーラン』を憲法として国が運営されている。それがサウジアラビアです。

また、サウジアラビアに近い国ほど戒律が厳しく、離れると緩《ゆる》くなる傾向があります。

●『コーラン』には何が書いてある?

国の憲法にもなる聖典『コーラン』は、ユダヤ教、キリスト教の『聖書』と何が違うのでしょうか。

コーランには「声に出して誦《よ》むべきもの」という意味があります。そのため、イスラム世界に行くと黙読している人はいません。みんな声に出して読んでいます。とはいえ、大きな声で読むと周りの人に迷惑がかかるので、小さな声でボソボソ読んでいる人が多いですね。

『コーラン』の本（アラビア語の原書）は、右開きです。右から開いて、それぞれのページを右から左に読んでいきます。アラビア語は右から左に書くので英語とは逆になります。

『コーラン』にはいろいろなことが書かれていますが、たとえば、この世界がどうやって生まれて、どのように終わるかということも書いてあります。世界の始まりがあるということは、終わりもあるわけです。

あるとき、世界の終わりが来ます。すると、死んだ人たちがみんなよみがえり、神様の前に一人ひとり連れ出されて、生前の善い行いと悪い行いがはかりにかけられ、善い行いの方が多ければ天国に行き、悪い行いが多ければ地獄に落とされる。これが『コーラン』の基本です。

基本的にはキリスト教の最後の審判と同じで、神様が作った世界はいつか終わりが来るから、そのときに天国に行けるように、礼拝をしたり善い行いをしたりしてこの世で正しく生きなければならない。つまり、死んだ後のことも重視しているというこ

神の言葉をまとめた聖典

コーラン

- 両親によくしなさい
- 発言する際は公正であれ
- 神が示した正しい道に従え
- 人を理由なく殺してはいけない

とです。

さらに、『コーラン』にはいろいろな決まりも書いてあります。「豚肉を食べてはいけない」「お酒を飲んではいけない」などのほか、倫理・道徳に関してイスラム教徒が守るべきことがたくさん書いてあります。

中には、商売の仕方、たとえばモノを売買するときはこういうふうにしなさいということまで、生活上の多くのことが『コーラン』には書かれているのです。

一つひとつの話が具体的なので、より信仰心が強くなるともいわれています。

◉礼拝、巡礼、断食などはイスラム教徒の義務

また、『コーラン』は「〜しなさい」という五つの義務も定めています。イスラム教徒は、日々の生活で守るべき義務がきっちり決められていて、次の五つは「五行」と呼ばれます。

・「アッラーの他に神は無し。ムハンマドは神の使徒なり」と自分の信仰を告白すること

・1日5回の神様へのお祈り
・できれば、一生に一度はイスラム教の聖地メッカに行くこと
・喜捨《きしゃ》
・断食

喜捨とは、要するに寄付です。富める者は貧しい者に分け与えなさいといっていいます。これはお金とは限りません。国によっては、寄付しやすいように、寄付するための箱が街のあちこちに置かれています。たとえば交差点に箱があって、そこに衣類などの日用品を入れられるようになっています。

年に一度行われる大巡礼では、世界中から200万人以上のイスラム教徒がメッカを訪れ、カーバ神殿で神様にお祈りを捧げます。この大巡礼を終えると、ハッジという称号が与えられ、自分の名前に付けてもよいとされています。名前にハッジという言葉が付いていたら、メッカまで大巡礼に行った人だということで周囲から一目置かれるのです。

断食もイスラム教徒の大事な義務です。イスラム暦の第9の月をラマダン月と言っ

日々の生活で守るべき義務

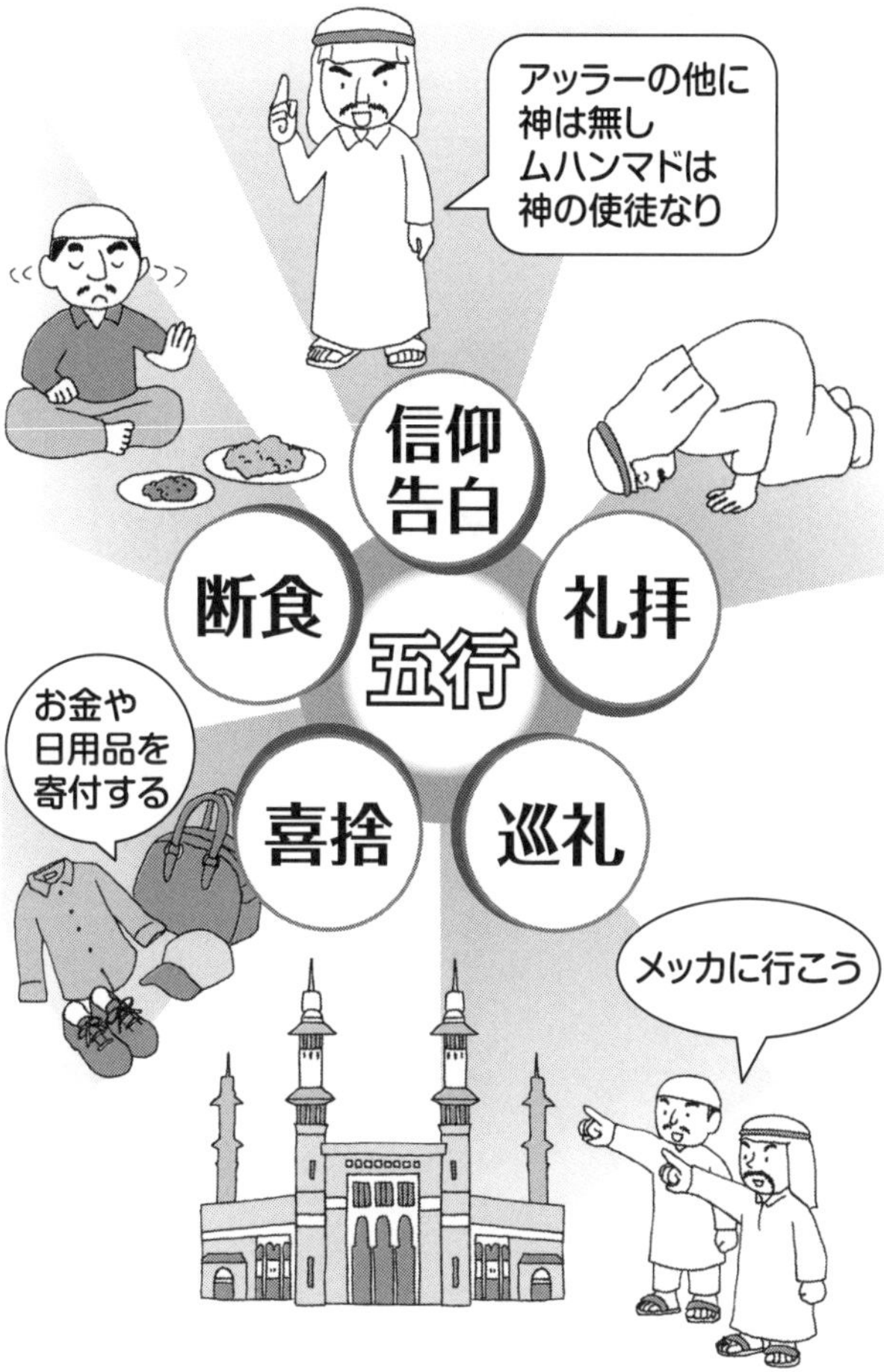

て、このときは1カ月間、夜明けから日没まで一切食べたり飲んだりしてはいけないという決まりがあります。

ただし、日没になると断食はそこで終わり。それ以降は飲み食いしてもいいので、日没が近づいてくると、みんなで集まって食べ物を用意しておきます。コップに水を入れるなどして日没を待ち、いよいよその時がきたらドーンと号砲が鳴って、それを合図にみんな一斉に食べ始めます。

朝も昼も食べていないから、みんなおなかペコペコです。その状態で勇んで食べたり飲んだりするため、結果的にラマダン月ひと月の食料の消費量は普通の月よりも多くなってしまいます。

1カ月間も朝から夕方まで空腹で過ごすのは大変なことですが、断食を通じて飢えを体験し、飢餓にある人と同じ苦しみを耐えることで信者同士の連帯感も高まるんだそうです。

このようにイスラム教は戒律の厳しい宗教ですが、ユダヤ教にも特に食べ物に関して様々な戒律があります。

ユダヤ教の食の戒律

ステーキの後にアイスはダメ

たとえば、よく知られているのは「牛肉（肉製品）と乳製品を一緒に食べてはいけない」という決まりです。ステーキを食べた後にアイスクリームを食べてはいけないとされていて、これは旧約聖書の「ヤギの子を親ヤギのミルクで煮てはいけない」という記述が根拠です。聖書の言葉を実生活に合わせて解釈すると、ヤギだけでなく牛肉も駄目となるわけです。

キリスト教の場合、こういった戒律はほとんどありません。

◉イスラム教の二大宗派とは？

宗教の違いでもめ事が起こってしまうのはわかりますが、同じイスラム教同士でもめることがあるのはなぜでしょうか。理由の一つが、宗派が違うから。ニュースでよく出てくる有名な二つの宗派はわかりますか？

スンニ派とシーア派ですね。高校の世界史の教科書にもちゃんと出ています。二つの宗派の違いで最も大きいのは、リーダーに対する考え方です。後継者は子孫である必要はないというのがスンニ派で、シーア派の方は血筋を重視します。

ムハンマド亡き後、4代目の後継者となったのがムハンマドの血を引くアリーです。彼はムハンマドの従弟《いとこ》であると同時に、ムハンマドの娘を妻に迎えていました。ところが、アリーは暗殺されてしまい、イスラム教徒内部で深刻な対立が起きます。このとき、ムハンマドの血縁であるアリーの子孫こそ後継者にふさわしいと主張して生まれたのがシーア派です。

このスンニ派とシーア派は常に対立しているかというと、そんなことはありませ

イスラム教の２つの宗派

スンニ派

後継者は子孫である必要はない

前例

を守るのが大事

シーア派

ムハンマドの血を引くアリーとその子孫が

後継者

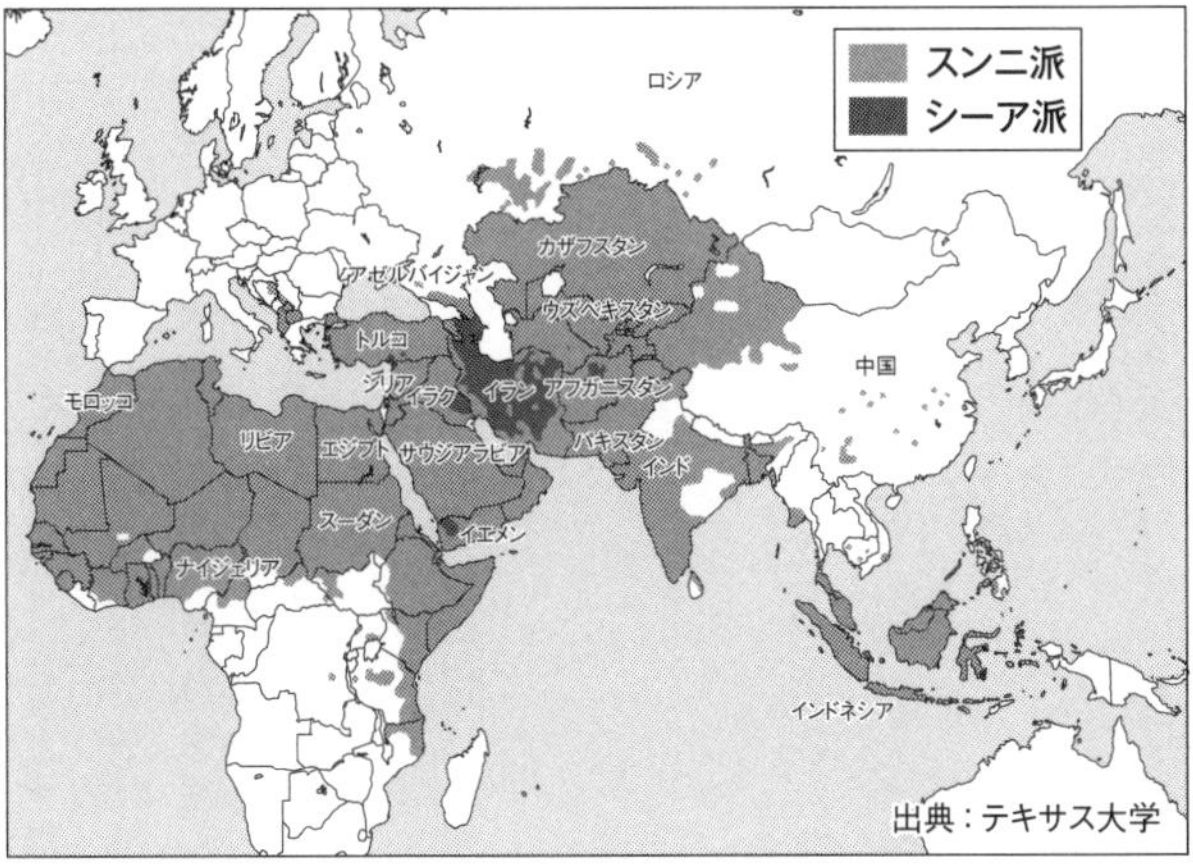

出典：テキサス大学

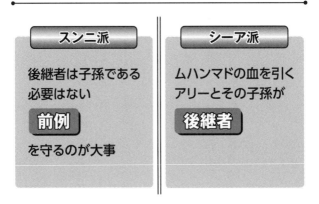

ん。同じイスラム教ですから仲良くやっていることも多いのですが、それぞれの指導者が自分たちの仲間を増やそうとして、わざと対立を作り出すことがあります。

一般市民のレベルでは交流もあり、スンニ派の人とシーア派の人の結婚も認められています。ところが、政治的な対立が激しくなると、夫婦仲が引き裂かれるような悲劇が生まれてしまうのです。

実際のところ、イスラム教徒は宗派の違いをどう思っているのか聞いた取材映像が残っていました。

［イランで取材］

シーア派の信者　シーアとスンニは兄弟です。預言者ムハンマドが生き方を教えてくれる父ならば、兄弟なのです。周りの国が仲を悪くさせるために、シーア派、スンニ派という分け方をしているのだと思います。

本来は兄弟のような関係なのに、トップの考え方によって対立してしまうこともあるそうです。

スンニ派とシーア派を人口で比較してみましょう。47ページの地図はイスラム教徒が大勢住んでいる地域を色分けしたものです。これを見ると圧倒的にスンニ派が多いことがわかります。

イスラム教徒の約85パーセントがスンニ派、それ以外がシーア派となっています。

●中東の覇権をめぐってサウジアラビアとイランが対立

スンニ派を代表し、イスラム世界を代表する大国とも言えるのがサウジアラビアです。これに対しシーア派を代表する大国はイランです。イランは日本とは長年、良好な関係を保つ一方、核開発問題などでアメリカと対立が激化し、今も経済制裁を受けています。

イランは敵も多く、国際社会では孤立気味ですが、人口が多いことからシーア派の大国として存在感を見せています。

そのイランがサウジアラビアと仲が悪くなったのは、宗派対立よりもむしろ政治問

シーア派を代表する大国イラン

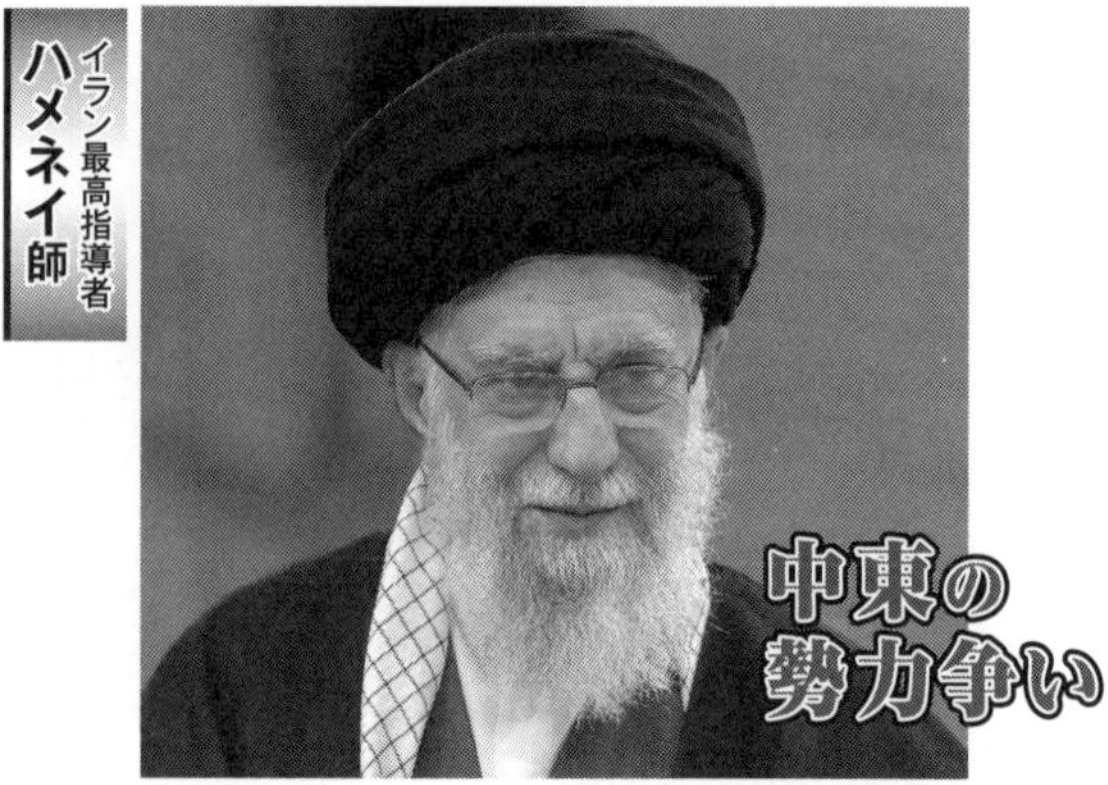

写真：ZUMA Press／共同通信

題が原因でした。

1979年、イランではイスラム革命によって王制が廃止され、宗教と政治が一体化したシーア派政権が誕生します。その後、イランがシーア派の大国としてのし上がるにつれ、サウジアラビアとの関係は険悪になっていきました。スンニ派のサウジアラビアに対抗して、イランが様々な国でシーア派の勢力を増やそうとしたからです。

サウジアラビアから見れば、これは大きな脅威です。中東のイスラム教国は王家が支配する国が多く、サウジアラビアを筆頭にヨルダン、オマーン、バーレー

宗派の違いから、中東の勢力争いへ発展

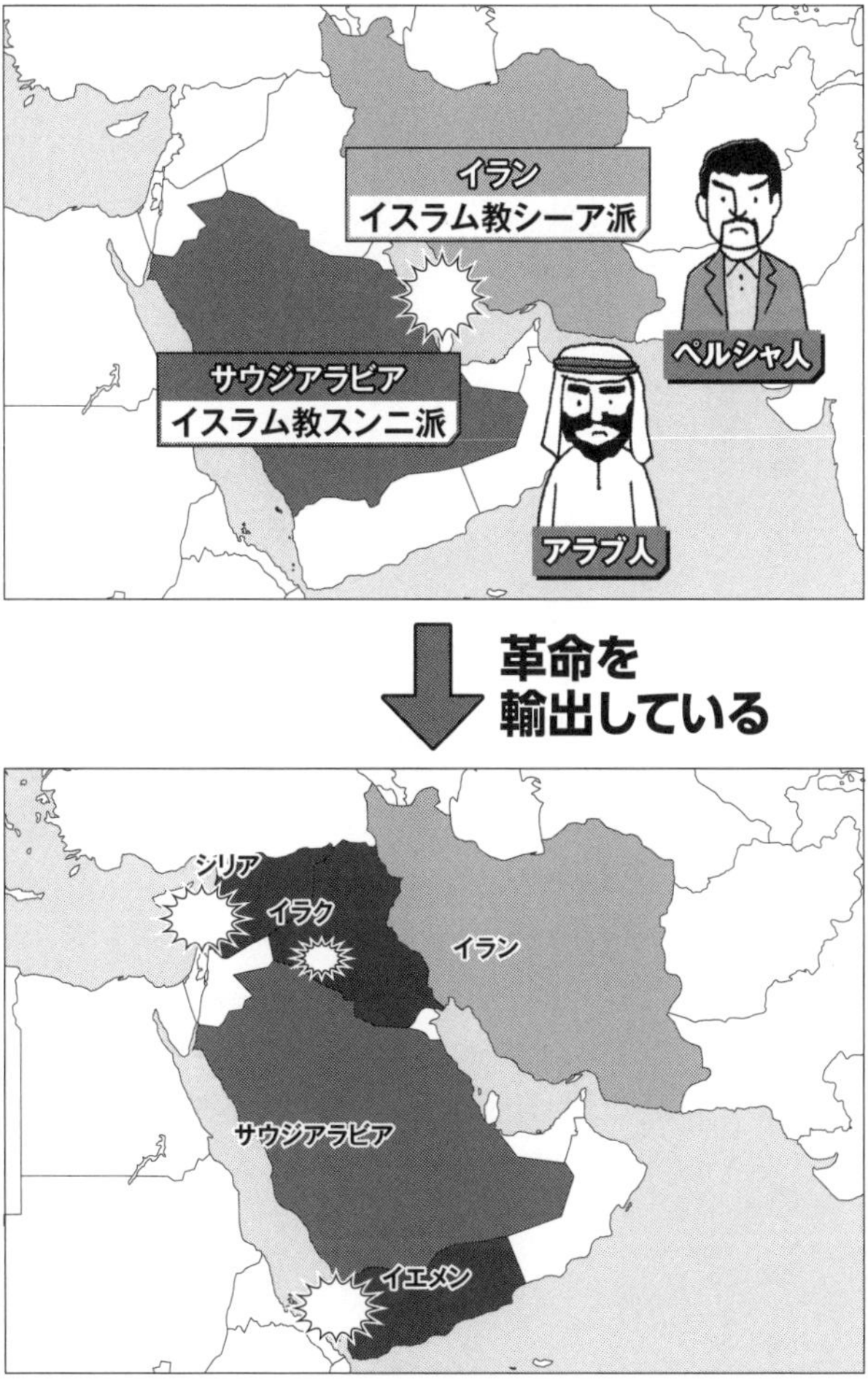

ン、アラブ首長国連邦などいずれも王国または首長国です。こうした国々にとって、イランがやっていることは、革命を輸出して王制を倒そうとしているように見えるのです。

こうして中東の覇権をめぐってサウジアラビアとイランが対立し、イラク、シリア、イエメンなどでは、いわば代理戦争のようなかたちで紛争が続いてきました。背景には、宗派対立よりも覇権をめぐる争いの激化があると見たほうが正確です。

宗派の違いでいがみ合っていたのが、いつしか中東の勢力争いに発展してしまったのです。

●なぜイスラム教の過激派はテロを起こす？

中東でもめ事が起きる原因の一つが過激派の存在です。

『コーラン』には、人を理由なく殺してはいけないし、自殺も許されないと書かれています。それなのになぜテロを起こすのかというと、『コーラン』の解釈の違いから過激な行動に出る人たちがいるからです。

『コーラン』の解釈の違いから、過激なテロへ

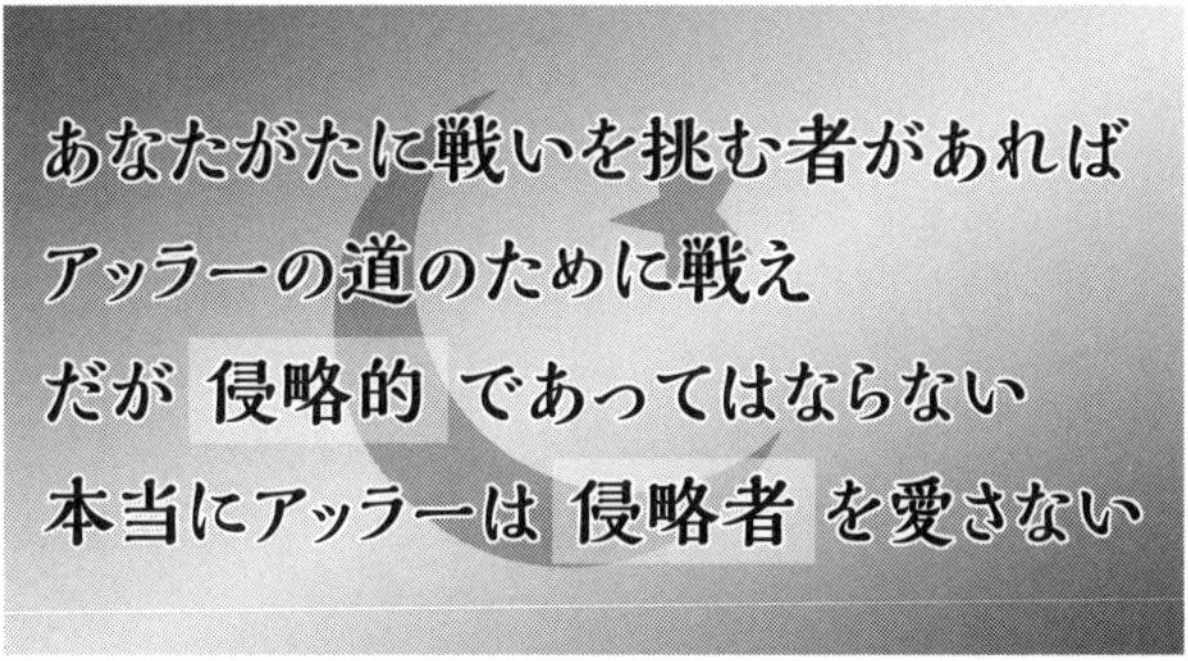
あなたがたに戦いを挑む者があれば
アッラーの道のために戦え
だが 侵略的 であってはならない
本当にアッラーは 侵略者 を愛さない

日本ムスリム協会 訳

たとえば、『コーラン』の中に次のような一節があります。

「あなたがたに戦いを挑む者があれば、アッラーの道のために戦え。だが侵略的であってはならない。本当にアッラーは侵略者を愛さない」

　イスラム教徒に戦いを挑む者があれば戦うべきだが、侵略してはならないと言っています。「イスラムの教えやイスラム教徒の土地を守るためであるならば、戦いなさい。だからといって、自分から攻め込んだりしてはいけない」というわけです。

　普通に読む限り、好戦的な感じは受けません。ところが、自分の国によその国、たとえ

ばアメリカが入ってきたとき、それを侵略者とみなした場合は、その国と戦うことが許されているんだというように解釈する人たちがいるのです。アメリカ同時多発テロ（2001年9月11日）を起こしたアルカイダのようなイスラム過激派組織は、こういう捉え方をします。

一方でイスラム教国同士が戦うこともありますが、これはイスラムの教えを守るためというより、領土や国境をめぐる争い、あるいは覇権をめぐる争いが原因です。

●イスラム原理主義者と過激派の違い

ニュースでは、イスラム過激派のほかにイスラム原理主義という言葉もよく耳にします。この二つはどう違うのでしょうか。

イスラム原理主義というと、なんとなく過激だと思いがちですが、実際にやっていることを見れば過激とは限りません。

そもそもイスラム原理主義とは、「イスラムの理想にかえれ」という考え方です。ムハンマドが神の言葉を聞いたと言って人々に伝えていた約1400年前は、神様の前

イスラム原理主義組織の主な活動

慈善事業が中心

でみんな平等だった。その理想の社会に戻ろうというのがイスラム原理主義です。現在のイスラム教の国々は、欧米の文化によってイスラム本来の姿から離れてしまい、貧富の格差が激しくなった。これは理想の社会ではないと彼らは考えています。

ですから、ほとんどのイスラム原理主義組織の活動は、病院や学校の建設など慈善事業が中心なのです。

ただ問題は、その原理主義勢力の中に極端な過激派がいることです。おかげで原理主義イコール過激派というイメージが広まってしまいました。実際にはイスラム過激派とは、厳密には「イスラム原理主義過激

イスラム教の構造

派」のことです。

上のイラストを見てください。全体がイスラム教徒だとすれば、その中に「理想にかえれ」というイスラム原理主義の人たちがいて、さらにその中に一握りの過激派がいる。このような構造になっているということです。

ちなみに、過激派はスンニ派にもシーア派にもいます。もっと言えば、過激派はイスラム教の専売特許ではなく他の宗教にもいます。ユダヤ教にもいますし、軍事クーデターで混乱が続く最近のミャンマーでは、仏教徒の中から過激派が生まれています。

第2章

ハマスとはどんな組織か?

――パレスチナの代表組織ではない

◉武力衝突の背景にあった長年の争い

ハマスとイスラエルの大規模武力衝突は突然始まったように見えますが、実は長年の争いが背景にあり、いつ何が起きてもおかしくない状態でした。

イスラエルには主にユダヤ人が住んでいて、主な宗教はユダヤ教です。これに対してパレスチナ自治区は、主にアラブ人が住んでいて、主な宗教はイスラム教という違いがあります。どちらの宗教にとっても大事な聖地であるエルサレムは、現在はイスラエルが占領しています。

そもそもアラブ人とユダヤ人はなぜ争っているかというと、一番の根本はパレスチナ地方の土地をめぐる争いです。長年争いが続いてきて、いまだに解決されていないため、パレスチナ問題と呼ばれています。

ユダヤ人はイスラエルという国を作りましたが、アラブ人はまだこの地域で国を持つことができていません。自治区があるだけです。第1章で説明した通り、パレスチナ自治区はガザ地区とヨルダン川西岸地区の二つに分かれており、このうちガザ地区

長年争いが絶えないパレスチナ地方

を実効支配しているのがイスラム武装組織のハマスです。

ハマスとは一体どんな組織かを解説する前に、武力衝突の背景にあるパレスチナ問題をざっくり見ておきましょう。

●パレスチナ問題の基礎を確認しよう!!

まず押さえておきたいのは、基本的には、ユダヤ人というのはユダヤ教を信じている人、ユダヤ教徒のことをユダヤ人と言っています。１９４８年にイスラエルが建国されたとき、その地にとどまったアラブ人もいて、彼らはイスラム教を

パレスチナ地方をめぐる対立の背景

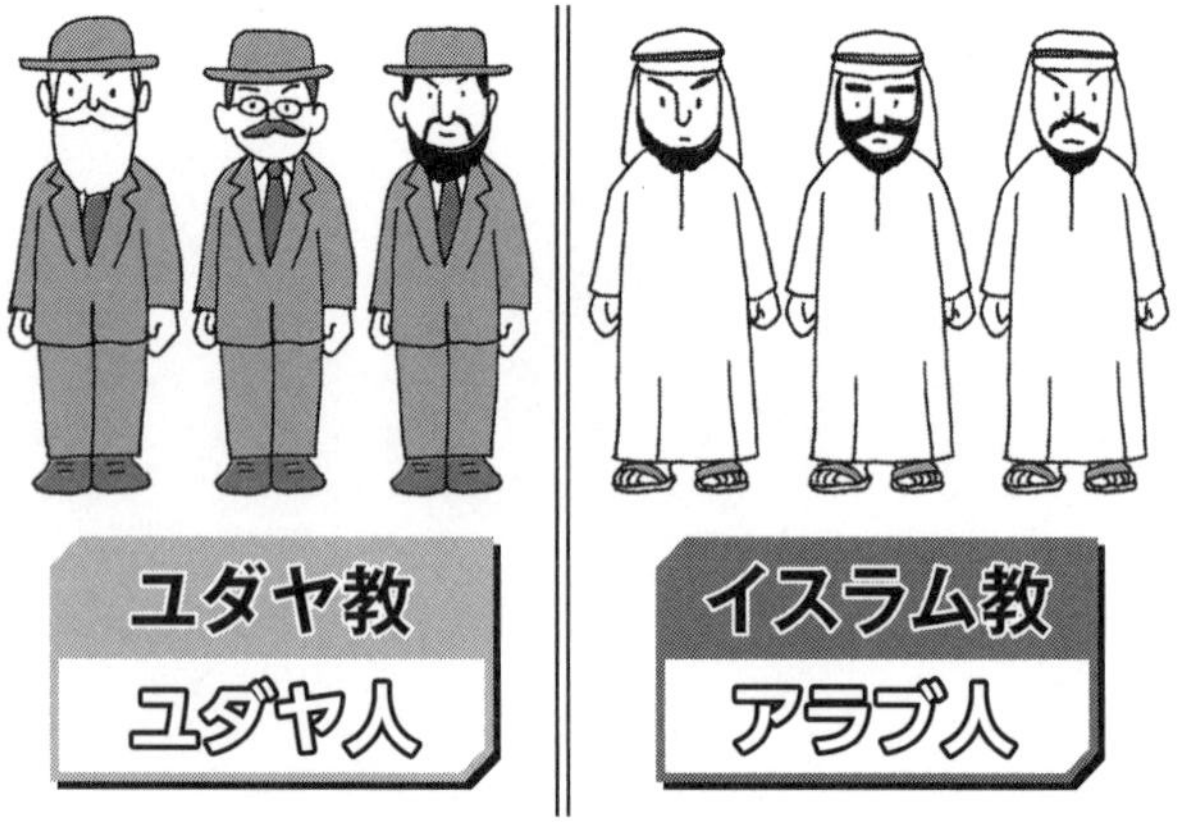

信じています。つまり、アラブ人でもイスラエル国籍を持った人がいるということ。イスラエル国民の全てがユダヤ人というわけではありません。

一方で、イスラエルができたときに難民になってしまったアラブ人が大勢います。これが現在まで続く非常に複雑な状態を生み出しました。

歴史をさかのぼると、紀元前1世紀頃、現在のパレスチナ地方にはユダヤ人の王国がありました。これがローマ帝国によって滅ぼされます。今から１９００年ほど前、ローマ帝国は追い打ちをかけるようにユダヤ人を追放し、彼らは散り散りバラバラにされ、各地に移っていきます。

代わってこの地に住み着くようになったのがアラブ人たちです。やがてここはパレスチナと呼ばれるようになりました。

追放されたユダヤ人たちのうちヨーロッパに移り住んだ者たちは、新たな困難に直面します。ヨーロッパはキリスト教社会ですから、ユダヤ教の戒律を守って暮らしているだけでもキリスト教徒から迫害され、厳しい差別を受けたのです。そして第二次世界大戦が勃発すると、ナチス・ドイツによって大勢のユダヤ人が強制収容所送りとなり、殺害されました。

数々の悲惨な経験を通じて、ユダヤ人は「自分たちの国がないからこんなことになるんだ。自分たちの国を作りたい」と強く願うようになります。

「でも、どこに？」となったときに、「どうせ国を作るなら、聖地エルサレムがあり、神様から与えられた『約束の地』といわれるパレスチナ地方がいい」と彼らは考えました。

こうして、ユダヤ人は大挙してパレスチナに戻ってきました。具体的な動きは19世

パレスチナ地方の歴史

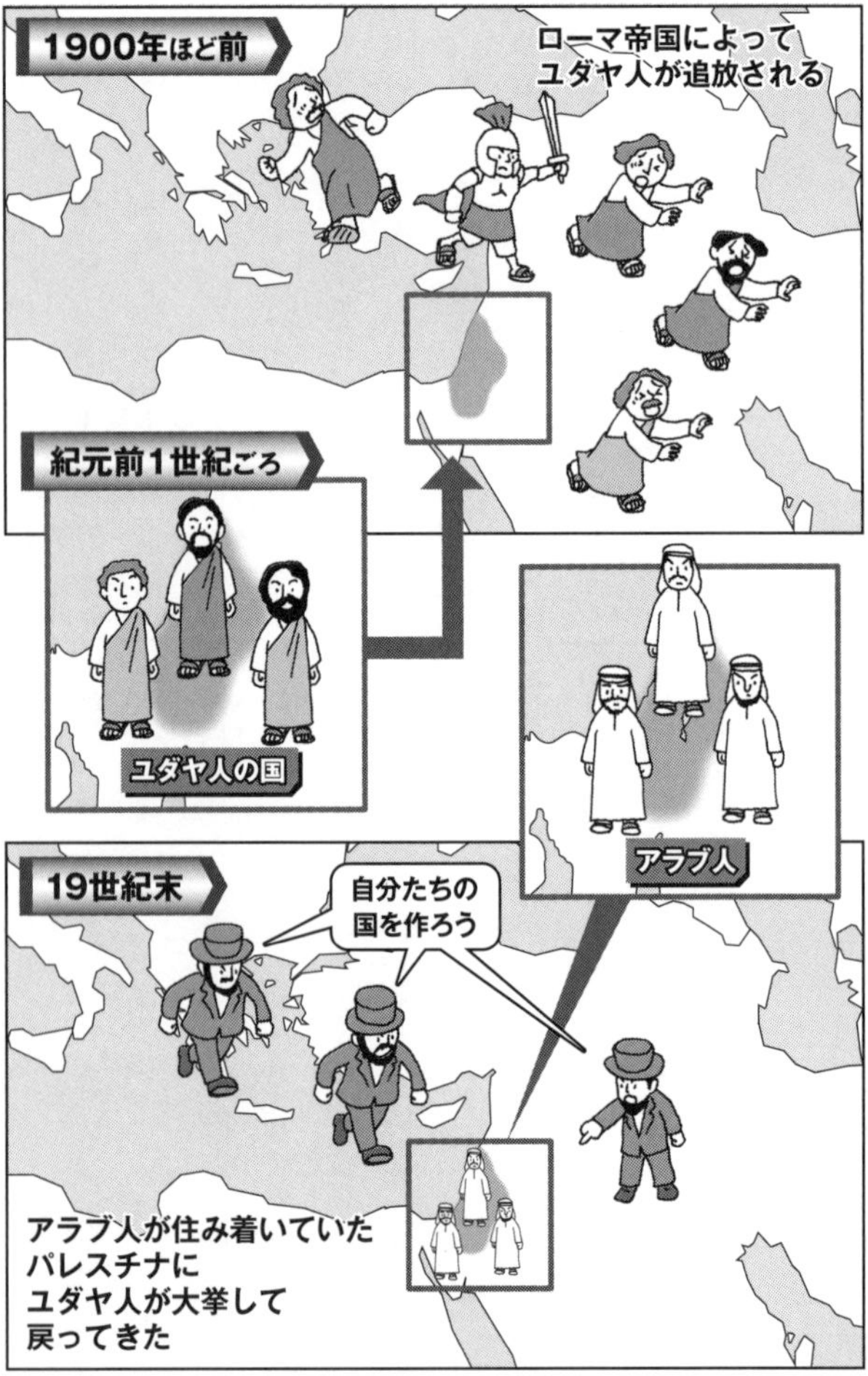
1900年ほど前
ローマ帝国によって
ユダヤ人が追放される
紀元前1世紀ごろ
ユダヤ人の国
アラブ人
19世紀末
自分たちの
国を作ろう
アラブ人が住み着いていた
パレスチナに
ユダヤ人が大挙して
戻ってきた

紀末から活発になり、第二次世界大戦後まで途切れることなく続きます。すると、そこに住んでいるアラブ人たちと土地をめぐって争いが生じ、激しい衝突が起きるようになります。

●国連の仲介で「パレスチナ分割決議」を採択

このもめ事を解決するために間に入ったのが、第二次世界大戦後に創設された国際連合（国連）です。

それ以前のパレスチナはイギリスの委任統治領でしたが、イギリスは自分たちの力ではもはや解決できないと諦めて国連に丸投げし、これを受けて国連がパレスチナをユダヤ人とアラブ人で分割する案をまとめました。

1　ユダヤ人国家とアラブ人国家を作ることを認める。

2　エルサレムに関しては、三つの宗教の聖地だからどちらのものでもない国際管理にする。

国連でこのような内容の決議が採択されたのが1947年です。これを「パレスチ

1947年「パレスチナ分割決議」

建国
エルサレム
国際管理
パレスチナは
ユダヤ人と
アラブ人で
分けましょう
エルサレムは
誰のものでもない

ナ分割決議」と言います。

ユダヤ人は、念願かなって自分たちの国家を持てるということで決議を大歓迎しました。でも、アラブ人やアラブの国々にしてみれば、自分たちが住んでいたところに突然、異教徒の国ができるわけで、納得いきません。彼らは猛反発し、一触即発の事態になります。

1948年5月14日にイスラエルが建国を宣言すると、その翌日に周りのアラブ諸国が攻め込んで第一次中東戦争が始まりました。

中東戦争はこれまで大きなものだけで4回も行われています。

1948年から繰り返される中東戦争

◉パレスチナ自治区とは？

今のパレスチナの姿は、パレスチナ分割決議が描いたものとは異なっています。

第一次中東戦争で事実上勝利したイスラエルは、パレスチナ分割決議でアラブ人に割り当てられた地域のかなりの部分を占領しました。66ページの地図を見ると、現在の二つあるパレスチナ自治区の領域は、分割決議で認められたアラブ人地域よりもずっと小さいことがわかります。

では、自治区はなぜこのような形になったのか？

パレスチナ自治区はなぜ2つに分かれてる？

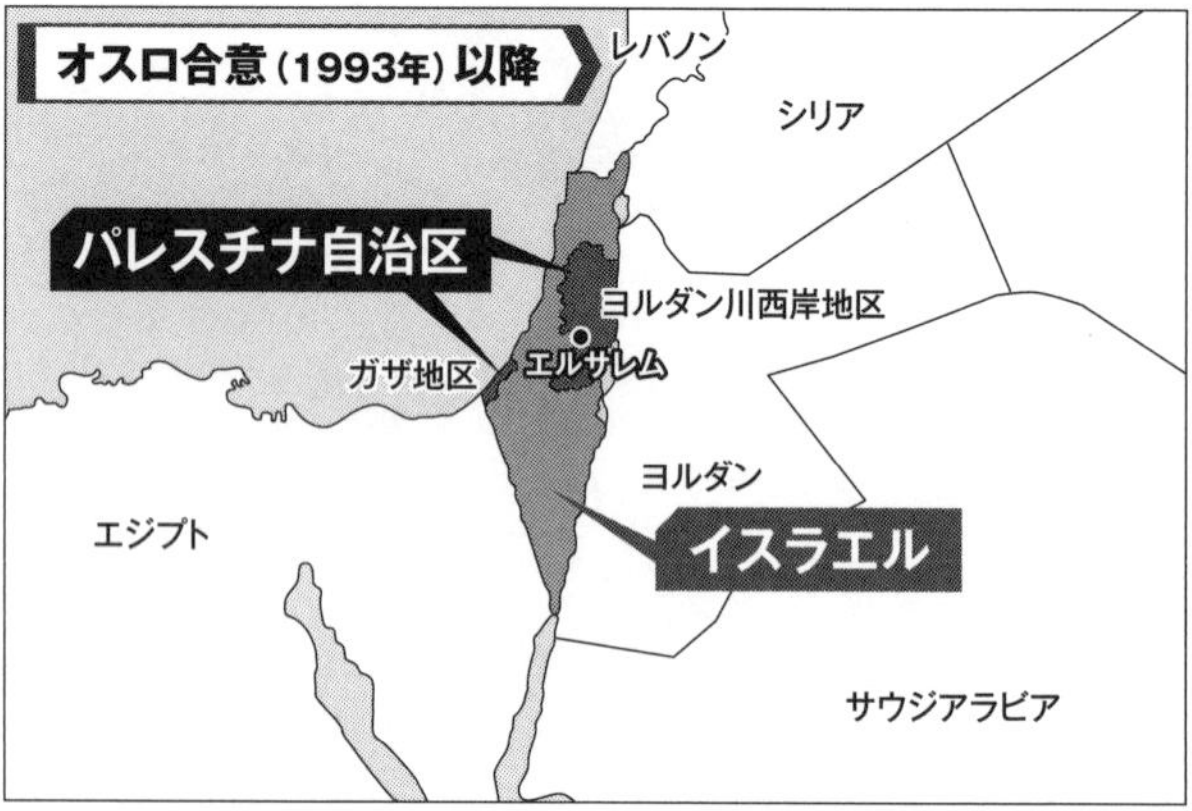

第一次中東戦争のとき、ヨルダン川西岸地区にはヨルダンが攻め込み、一帯を占領。ガザ地区の方はエジプトが占領しました。戦争はイスラエルが領土を拡大して終わりましたが、ヨルダン川西岸地区とガザ地区はアラブ側に残されます。そのため、土地を失ったアラブ人たちは、同じアラブ人のイスラム教徒がいる二つの地区に逃げ込んだのです。

結果的に、この二つの地区に大勢のパレスチナ人（パレスチナのアラブ人）が住むようになりました。そこで、自治区の創設が決まったとき、両地区をそのまま自治区にすればいいと考えたわけです。

ところで、自治区とは何かというと、これは国ではありません。国ではないけれど、自治を認めてあげましょうという暫定自治が合意されました。中東和平交渉が進んだ1993年、イスラエルとパレスチナが結んだ「オスロ合意」で決まった内容です。

この合意に基づき、ヨルダン川西岸地区とガザ地区の二つはパレスチナ暫定自治区となり、住民たちが選挙で議長や議員を選ぶという仕組みが始まります。

●イエスの生誕教会があるヨルダン川西岸地区

二つのパレスチナ自治区は本来一体のものでしたが、その後、大きく変わってしまいます。地理的に離れているため、一体的に統治するのが難しかった事情もありました。

それぞれの特徴を確認しておくと、ヨルダン川西岸地区は面積が三重県ぐらい。そこに約325万人が暮らしています。ガザ地区の方は種子島《たねがしま》ほどの大きさしかなく、人口は約222万人。世界で最も人口密度の高い地域の一つといわれています。

街並みも違います。69ページの写真がヨルダン川西岸地区です。上は中央に壁が建

ヨルダン川西岸地区とガザ地区

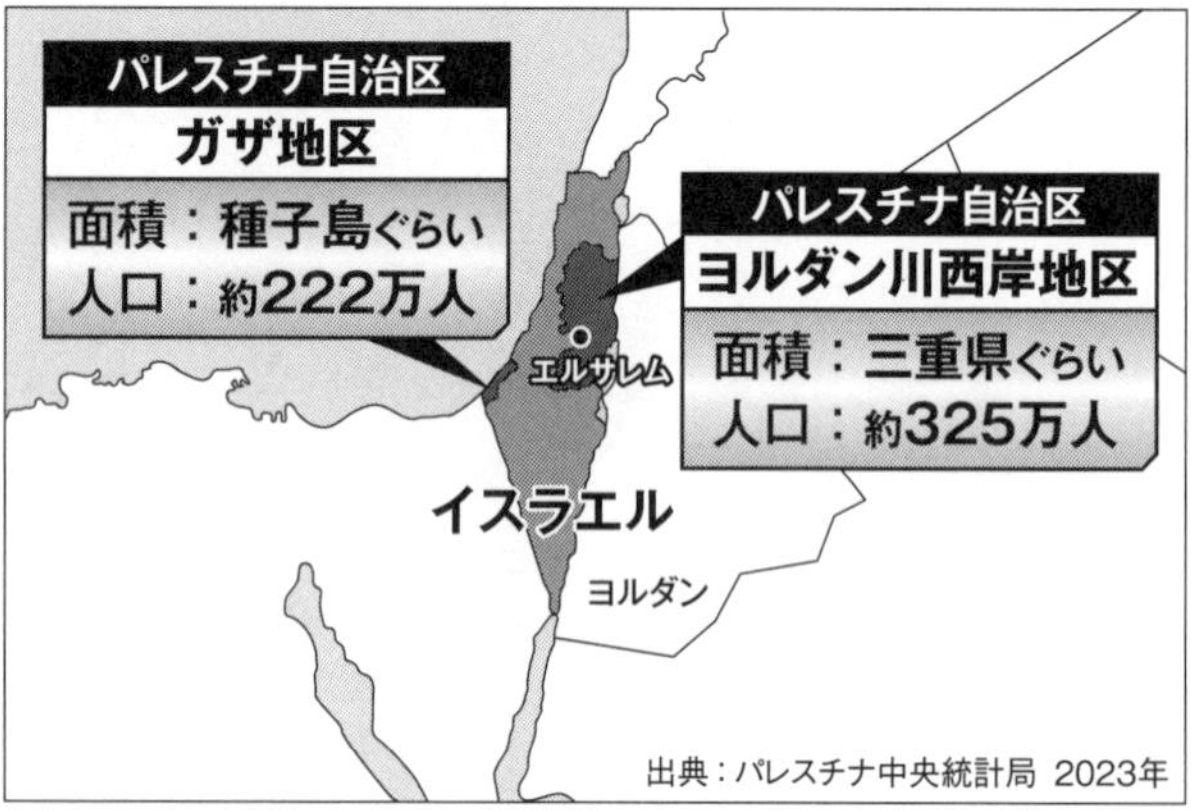

っていますね。実はイスラエルが境界線に沿って高い壁（分離壁）を作り、パレスチナ自治区からイスラエル側に人が簡単に入ってこられないように囲っています。

イスラエルとしては出入りを完全に禁じたわけではなく、出稼ぎなどでイスラエル側に働きに来ることは認めています。要所、要所に検問所が設けてあり、パレスチナ人は厳重なチェックを受けてイスラエル側に入り、その多くがいわゆる3K（きつい、汚い、危険）仕事に従事しているといわれています。

下は地区内部の様子を撮った写真で

ヨルダン川西岸地区の様子

写真：DPA／共同通信イメージズ

パレスチナ自治区 ヨルダン川西岸地区

写真：Middle East Images／ABACA／共同通信イメージズ

す。車が渋滞して大勢の人で賑わっています。

イエス・キリストが生まれたとされるベツレヘムは西岸地区に属し、そこにはイエスの聖誕教会があります。ベツレヘムには、イエスの生まれた場所をひと目見ようと世界中のキリスト教徒が観光で訪れ、多くの外国人は観光ツアーでヨルダン川西岸地区に入って行きます。

●「天井のない監獄」ともいわれるガザ地区

次ページ上段の写真はガザ地区です。人口が密集しているため、ごみごみ、ごちゃごちゃした感じで、ヨルダン川西岸地区に比べて貧しい様子がうかがえます。

ガザ地区は過去に何度もイスラエルから攻撃を受けています。たとえば、2021年にもイスラエル軍の空爆を受けて、多くのビルや建物が破壊されました。下段の写真は一見すると今回の武力衝突で廃墟になった街のように見えますが、そうではないのです。3年前の空爆のときの写真です。

このガザ地区も、周囲を高さ約8メートルのコンクリート壁が囲んでいます。72ペ

ガザ地区の様子①

写真：©Omar Ashtawy／APA Images via ZUMA Press Wire
／共同通信イメージズ

写真：©Ahmad Hasaballah／IMAGESLIVE via ZUMA Press Wire
／共同通信イメージズ

ガザ地区の様子②

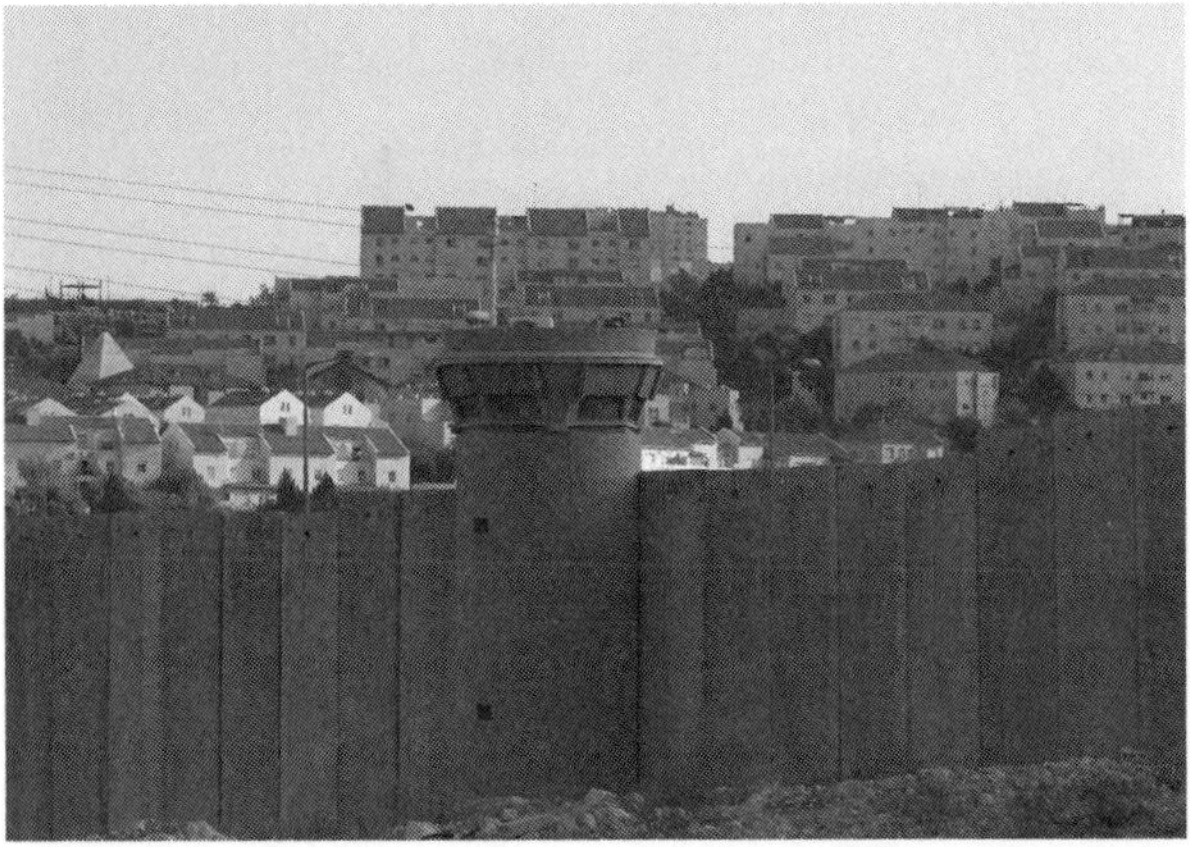

写真：ロイター＝共同通信

ージの写真の中央に見えるのは監視塔です。ここでイスラエル軍が監視をしていて、一般のパレスチナ人は自由な行き来ができません。

私は10年ほど前、ガザ地区に入ったことがあります。検問所で徹底した手荷物検査を受け、最終的には外国のジャーナリストだからいいだろうということで入れましたが、無事に許可が下りるまで非常に苦労しました。

ガザ地区内は、分離壁から最大幅600メートルは緩衝《かんしょう》地帯になっています。ガザの人たちがそこに入ると、イスラエル兵によって狙撃《そげき》されます。

分離壁に近づこうとしただけで撃たれてしまうわけで、イスラエルとガザ地区の対立の根深さがわかります。

緩衝地帯の先にある居住区も、お世辞にも管理が行き届いているとは言えず、私が行ったときはちょうど雨が降っていて、大雨というわけでもないのに道路が水浸《みずびた》しになっていました。し尿処理場の修理が不十分で悪臭がひどかったですね。

生活環境は非常に悪く、ガザ地区は「天井のない監獄」といわれるほどです。

◉ヨルダン川西岸地区は穏健派のファタハが統治

以上見てきたように、同じ自治区でも二つはまるで違います。そうなったのは、自治区によって政治を行うグループが違うからです。

ヨルダン川西岸地区を統治しているのはファタハという穏健派のグループです。トップはアッバスという人で、この人がパレスチナ自治政府の議長を務めています。建前上はパレスチナ自治区全体の長なのですが、実際にはヨルダン川西岸地区しか統治できていません。

二つの自治区は統治するグループが異なる

ファタハは汚職体質があって住民から嫌われており、全然人気がない。ここが大きな問題です。アッバス氏は2005年の選挙で自治政府の議長に選ばれたものの、それ以降、選挙は行われておらず、今も住民を代表しているといえるのか疑問です。

また2006年の議会選挙ではハマスが勝ってしまいました。それを機にファタハとハマスの対立が深まり、次の議会選挙は実施されないままです。

結局、アッバス政権は2005年以降、住民の選挙の洗礼を受けていない独裁政権になってしまったのです。

◉ガザ地区のハマスの母体は社会福祉団体だった！

一方、ガザ地区を実効支配しているのは、今問題になっている過激な武装組織のハマスです。

ハマスとはアラビア語の「イスラム抵抗運動」の頭文字を並べてそう読ませたもので、「激情」「情熱」といった意味があります。ハマスは宗教的にはイスラム教のスンニ派です。ファタハに比べると汚職も少なく、実は意外に住民の支持は高いといわれています。

ハマスがなぜ一定の支持を得ているかというと、住民の生活向上に努めてきた歴史があるからです。

ハマスの母体はイスラム教徒を救済するために活動する社会福祉団体で、１９７０年代から学校や病院、託児所、スポーツクラブなどを設立し、貧困層には食料などを配布してきました。それによってハマスはパレスチナの人たちの絶大な支持を得ていたのです。

ハマスの母体は社会福祉団体

ハマス：イスラム教スンニ派武装組織

アラビア語で「イスラム抵抗運動」の頭文字

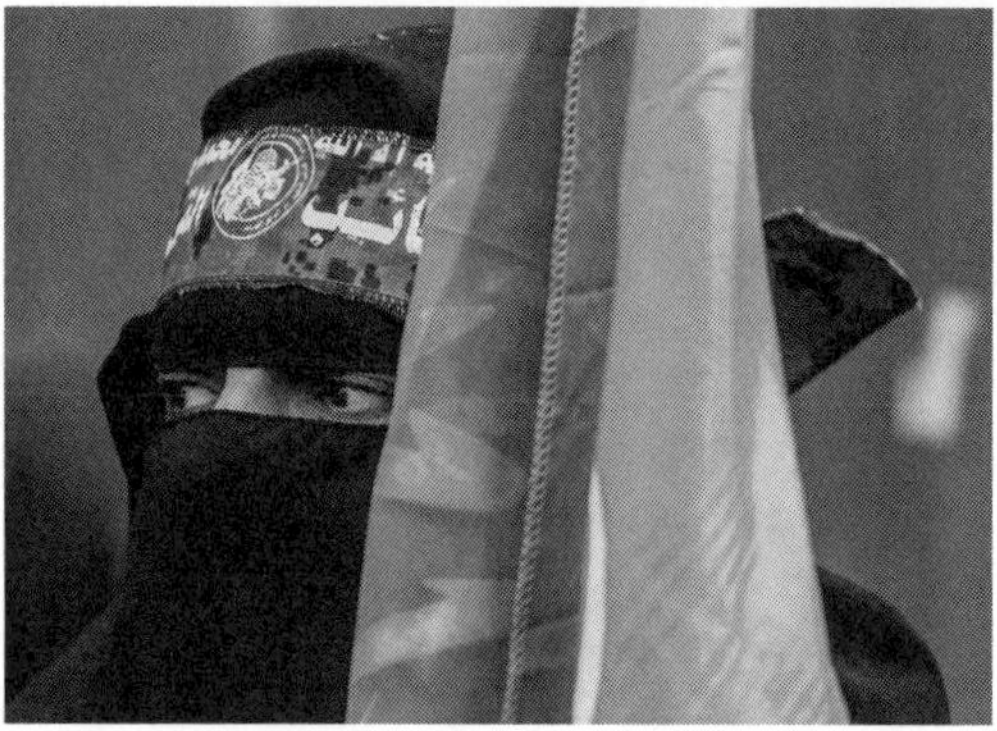

写真：Ahmad Hasaballah／IMAGESLIVE via ZUMA Press Wire
／共同通信イメージズ

ハマスが建てた学校

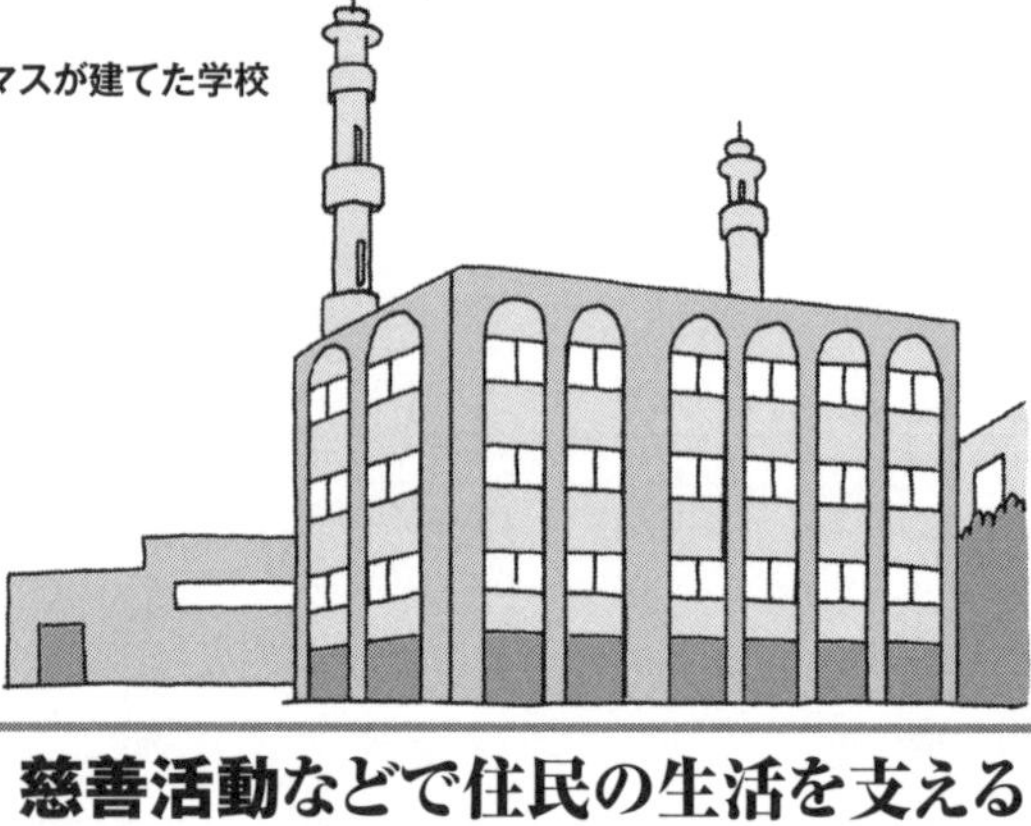

慈善活動などで住民の生活を支える

かつては民衆のヒーロー的存在だったと言ってもよく、当時の支持基盤は今も残っています。

●ハマスはなぜ過激な武装組織に変わったのか？

貧しい人たちを守るハマスが過激な組織になったのはなぜでしょうか。

今はオスロ合意（1993年）によってヨルダン川西岸地区とガザ地区はパレスチナ人の自治が認められています。しかし1980年代当時、パレスチナ地方は全部イスラエルが占領していました。

このイスラエルの占領に抗議して、パレスチナの人たちが抵抗運動を起こします。これはインティファーダと呼ばれています（第一次インティファーダは1987〜93年）。

イスラエル軍のトラックが衝突し、複数のパレスチナ人が死傷した事故をきっかけに、パレスチナ人の怒りが爆発しました。彼らは武器を持っているイスラエル軍に対し石を投げて抗議したため、「占領軍に素手で立ち向かうパレスチナ人」というイメー

イスラエルの占領に対するパレスチナ人の抵抗運動

写真：共同通信

1987～93年 第1次インティファーダ

ジが作られ、国際世論を味方につけて抵抗運動は大きな盛り上がりを見せます。

しかし、いくら頑張っても投石で軍隊に勝つことはできず、「福祉活動だけでは限界だ。やはり武力を持たなければ太刀打ちできない」と考えたハマスは、この頃から軍事部門を持つようになりました。この軍事部門が次第に本格的なものとなって、ハマスはテロを起こすような組織へと変貌《へんぼう》を遂げたのです。

さらに、ハマスは政党として政治にも参加しています。

ヨルダン川西岸地区とガザ地区の全体で住民の選挙によって議会を作ることに

なり、2006年に選挙が行われました。当時、パレスチナの住民から高い支持を得ていたハマスは大勢の議員を当選させ、過半数の議席を獲得。しかし、この結果に穏健派のファタハは納得しませんでした。

ファタハとハマスは鋭く対立し、ガザ地区で圧倒的な力を持っていたハマスが同地区からファタハを追い出してしまいます。その結果、ガザ地区はハマスが統治し、ヨルダン川西岸地区はファタハが統治するという現在のかたちが出来上がりました。それに伴い、ガザ地区ではハマスの武装闘争がより過激になっていきます。

以上、ハマスには社会福祉団体、軍事組織、政党という三つの顔があり、パレスチナの土地に根を張った存在だということを押さえておく必要があります。

●イスラエルとの共存か、打倒か

ところで、ファタハとハマスの一番大きな違いは、イスラエルに対する態度です。

穏健派のファタハはイスラエルとパレスチナの共存を目指しています。今はまだ自治区だとしても、最終的にはパレスチナ国家を作ってイスラエルと共存したいという

イスラエルに対する態度の違い

のがファタハの考えです。

これに対してハマスは、そもそもイスラエルの存在を認めていません。イスラエルという国を打倒し、なくさなければいけないと考えています。

これでは活動が過激になるのも当然で、すぐ前で触れたように、急速に武装闘争を活発化させていきました。そのため、アメリカや日本から国際テロ組織に指定されています。

特にイスラエルをロケット弾で攻撃するのは、ほとんどがハマスです。ガザ地区を支配するハマスがイスラエルを攻撃すればイスラエルは必ず報復しますか

ハマスは、イスラエルへの攻撃は「イスラムの教えに基づいた行為」と考えている

イスラエル
イスラエルは侵略者だ！

ら、パレスチナの武力衝突のニュースは、その多くがガザ地区の出来事となるわけです。

●ユダヤ教の安息日に警備の隙をついて奇襲

ハマスは、イスラエルという国ができたことによって自分たちの土地が異教徒に奪われてしまったと考えています。つまり、イスラエルは侵略者だというのがハマス側の見方です。『コーラン』には、「あなたがたに戦いを挑む者があれば、アッラーの道のために戦え」と書いてあるではないか。だから、イスラエルと戦うことは、本来のイスラムの教えに基づいた行為なのだ。このように彼らは考えます。

今回のハマスによる奇襲攻撃は一般にテロと呼ばれていますが、ハマスはテロとは言いません。侵略者を追い出すための正当な攻撃だと主張しています。

これは、私たちには全く受け入れられない考え方です。それでも、彼らがなぜそう考えるのかということについては、知っておく必要があるでしょう。

ハマスの攻撃はイスラエル側の不意を衝《つ》くもので、イスラエル側は全く予想できていなかったようです。

過去4回あった中東戦争のうち1973年の第四次中東戦争は、ユダヤ人にとっての大事なお祭りの日に始まりました。ユダヤ教の慣習でその年の10月6日は断食をして過ごし、一切仕事をしてはいけないことになっていました。アラブ側は、この日を狙《ねら》えばイスラエル軍は抵抗できないだろうと見て攻撃を仕掛け、イスラエルに大打撃を与えています。

アラブ人にとってはこの出来事が成功体験になっており、ハマスが23年10月7日に奇襲攻撃したのも、ユダヤ教のお祭りが1週間続き、お祭りが終わったその翌日が安息日だったからです。

その日は働いてはいけない日で、多くのイスラエル兵が休暇を取って家に帰っていました。警備が手薄になっていたまさにその時を狙ってハマスは攻撃を敢行したのです。

●なぜハマスは大規模攻撃したのか？

では、なぜハマスは今回、大規模攻撃をしたのでしょうか。

注目すべきは、攻撃の3カ月ほど前、23年7月にガザ地区でハマスに反対する住民のデモが起きたことです。ガザ地区の住民はハマス支持で一致していると思っていたら反ハマスのデモが行われた。ハマスは恐怖政治で住民を支配してきたので表立ってハマスに反対することはできないはずなのに、意外にも大々的な反対運動が起きたのです。

これまでは、暮らしが苦しいのは侵略者のイスラエルが悪い、あるいは自治政府のファタハが悪いとハマスの説明を鵜呑《うの》みにしてきたけれども、本当にそうなのかとい

2023年7月、ガザ地区でハマスに対するデモが起きた

写真：Habboub Ramez／ABACA／共同通信イメージズ

う疑問が広がっていました。悪いのはハマスの方ではないかということで反対運動に火がついた。これはハマスにとって衝撃的でした。

ハマスからすれば、イスラエルを攻撃すれば報復されることは織り込み済みです。しかし、大規模な報復攻撃でガザの一般住民が大勢亡くなれば、「やはり悪いのはイスラエルだ、イスラエルが憎い、イスラエルと戦っているハマスを応援しよう」というふうに住民の態度は一変するはずで、彼らはそれを狙ったと考えられます。

実はハマスは、イスラエルに撃ち込む

ロケット弾の発射拠点や軍事拠点を、学校や病院の近くにわざと作ってきました。このため、イスラエル軍が報復攻撃を行う際に住民に被害が及ばないようにしても、民間人に犠牲者が出てしまいます。

ハマスとしては、「そら見たことか。イスラエルはこんなにガザの住民を殺しているではないか」とアピールするために、あえて民間人の居住区内に軍事施設を作ってきました。

●イランがハマスを支援するのはなぜか？

たった1日で2000発以上のロケット弾を発射し、イスラエル軍がガザ地区に地上侵攻してからも大量の武器・弾薬を保有して徹底抗戦しているハマス。さすがにハマス単独でこれだけの戦いができるとは思えません。

ハマスを支援しているのはどこでしょうか。イスラム教では宗派が違うと仲が悪い（宗派が同じなら仲がいい）というイメージがあります。だとすると、「スンニ派のハマスを支援しているのは、同じスンニ派の大国サウジアラビアなのかな」と考えたくなりますが、そうではないのです。

サウジアラビアは確かに同じスンニ派です。でも、サウジアラビアとしては、ハマスのような過激な考え方を必ずしも認めていません。イスラエルの存在を丸ごと否定するのは行き過ぎだと考えているので、ハマスの支援には消極的です。

ハマスを支援しているのはシーア派が多いイランです。スンニ派のハマスをシーア派のイランが支援するという不思議な構造になっています。

なぜイランはハマスを支援するのでしょうか。この場合、ポイントは反イスラエルです。

ハマスはイスラエルの存在を認めていません。イランもイスラエルを認めていません。イランの政権にしてみれば、イスラエルはイスラム教の聖地エルサレムを奪った許しがたい敵であり、壊滅させなければならない存在です。この点でハマスとイランは利害が一致しています。

イランにとっては敵がイスラエルで、そのイスラエルの敵がハマスです。「敵の敵は味方」ですから、宗派は違ってもハマスを応援するというのがイランの立場です。ス

スンニ派のハマスを支援するのはシーア派のイラン

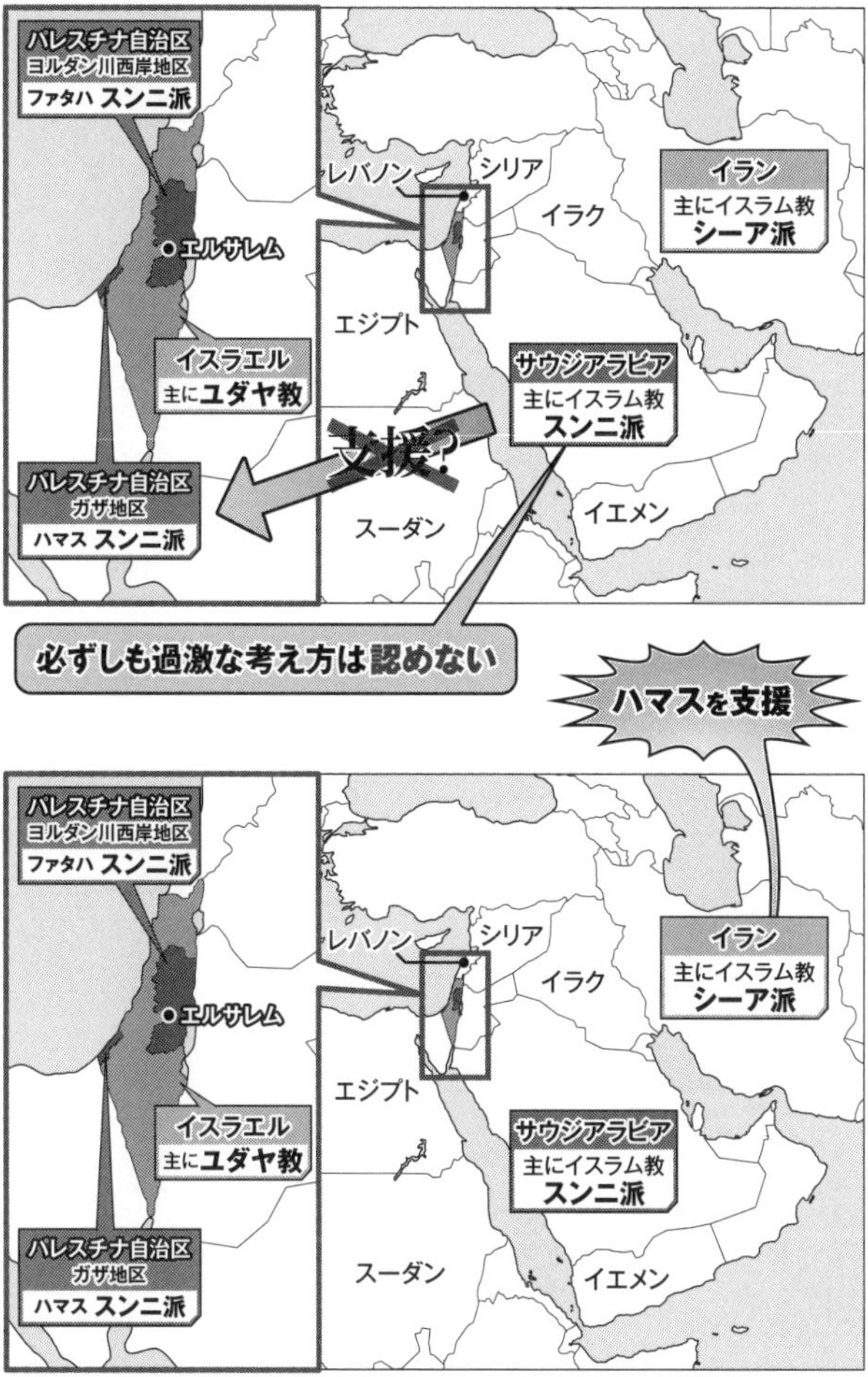

なぜイランはハマスを支援するのか？

ンニ派とシーア派で宗派は分かれていますが、共通の敵イスラエルと戦うためにイランはハマスを支援しているのです。

イランは公式には今回のハマスの奇襲攻撃には関与していないと言っています。でも、「よくやった！」とハマスを称賛しており、ハマスを支持する姿勢は明確です。

◉即座に参戦した武装組織ヒズボラとは？

ハマスとイスラエルが戦闘を始めた後、さらにほかの武装組織も参戦し、状況がより複雑になりました。参戦したのはヒズボラです。

聞きなじみのない名前かもしれませんね。ヒズボラは、アラビア語で「神の党」という意味です。日本では普段あまりニュースになりませんが、もともと中東にはヒズボラという武装組織がいて強い力を持っているのです。宗派はイスラム教シーア派です。

90ページの地図を見てください。イスラエルの北側で国境を接しているのがレバノン。その南部にヒズボラの拠点があります。

この武装組織を支援している国はどこかわかりますか？

中東情勢に強い影響を与える武装組織ヒズボラ

イスラム教シーア派組織ヒズボラ

イランから年間1000億円（推計）の資金援助
出典：法務省公安調査庁
世界で最も重武装した非国家組織
出典：戦略国際問題研究所

写真：©Ahmad Hasaballah／IMAGESLIVE via ZUMA Press Wire／共同通信イメージズ

これもシーア派のイランです。両者の関係は深く、ヒズボラはイランから推計で年間約１０００億円の資金援助を受けているといわれています（出典：法務省公安調査庁）。また「世界で最も重武装した非国家組織」（出典：戦略国際問題研究所）ともいわれ、小国の軍隊なら打ち負かしてしまうくらいの軍事力があります。

レバノンは宗教的に多様で、スンニ派やシーア派のほか、キリスト教徒にも信教の自由を認めている国です。その中でイランは特にシーア派のヒズボラを支援し、彼らはイランの後ろ盾を得て力をつけてきました。今では国際社会にとって

ヒズボラの参戦はイスラエル軍にとって最悪の事態

の脅威となり、アメリカはテロ組織に指定しています。

ヒズボラは、ハマスが最初にイスラエルを攻撃したその次の日に早くもイスラエルに攻撃を仕掛けました。この戦闘でヒズボラとイスラエル双方に死者が出たことで、国際社会から懸念《けねん》の声が上がりました。というのは、もしヒズボラが本格的な軍事行動を起こした場合、戦火が中東全域に拡大する恐れがあるからです。

●ヒズボラとハマスの共闘は最悪のシナリオ

スンニ派のハマスとシーア派のヒズボ

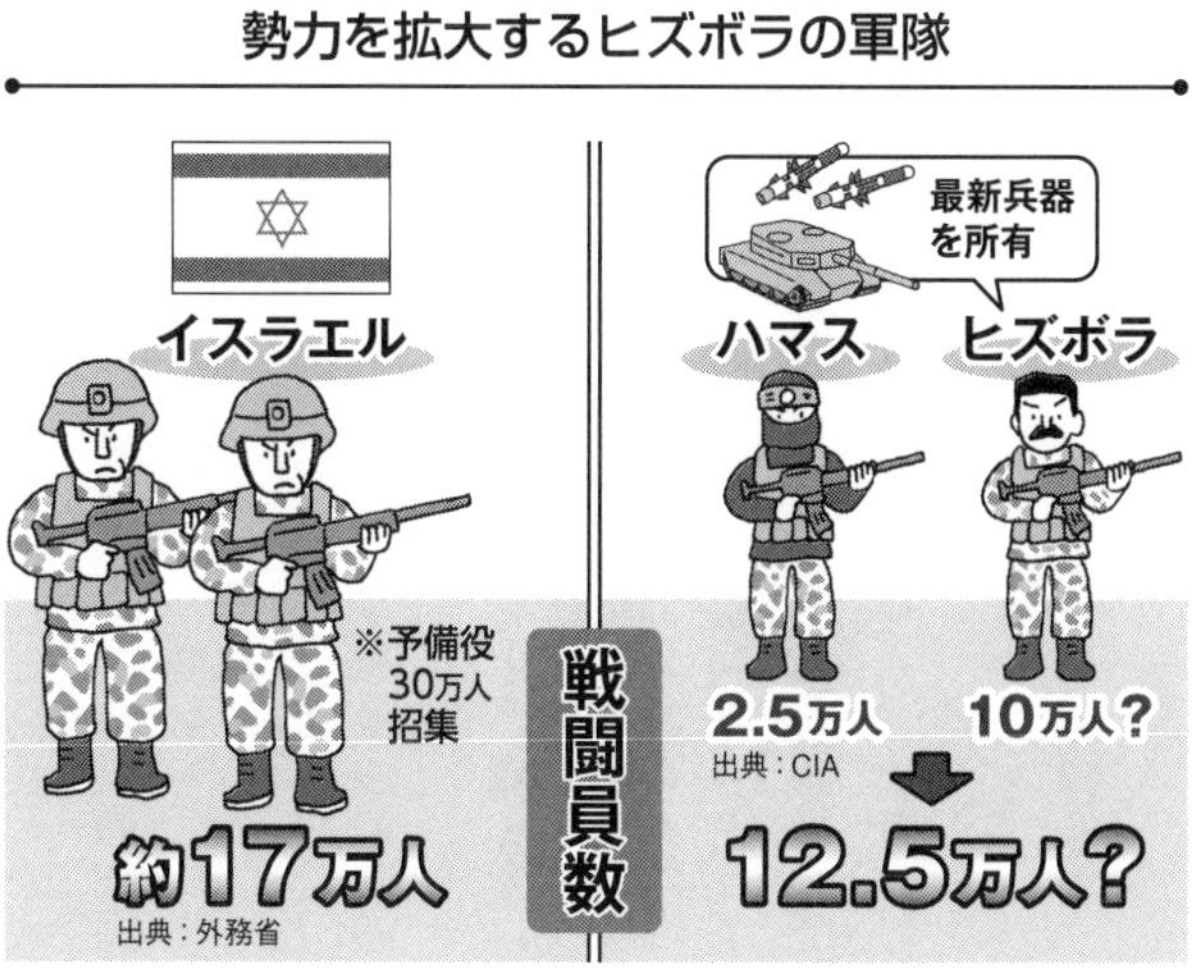

ラは、宗派は違っても反イスラエルでは共通しています。もしレバノン南部のヒズボラが攻めてきたら、ガザ地区に入ったイスラエル軍はハマスとヒズボラに挟み撃ちにされ、一度に二つの敵と戦わなければいけなくなります。そうなったらイスラエル軍は苦戦を免れません。

ヒズボラがイスラエルを攻撃すれば、結果的にハマスを助けることになるのです。今のところそうなっていませんが、ヒズボラとハマスの共闘は、イスラエルにとっては最悪のシナリオです。

ヒズボラには少なくとも４万５０００人の戦闘員がいます。しかし近年、ヒズボラの指導者が、われわれは10万人の戦闘員を持っていると言っており、事実とすればこれは大変な人数です。ハマスの戦闘員が約2万5000人ですから、合計すると約12万5000人となり、イスラエル軍に匹敵するほどの勢力になります。

ヒズボラは最新兵器も多数持っているため、ヒズボラの本格参戦だけは何としても避けたいというのがイスラエルの本音です。

●レバノンはヒズボラをどう考えているか?

国内にこれほど強力な武装組織が居座っていて、レバノンは困らないのでしょうか。もちろん、レバノン政府は苦々しく思っています。しかし、ヒズボラは既にレバノン国内で大きな力を持ち、国会議員まで出しています。そもそもレバノン政府軍よりもヒズボラの軍隊の方が強く、政府はヒズボラの力を抑えたくても抑えられないのが現状です。

それをいいことに、ヒズボラはレバノンの中で好き勝手にやっています。

第3章

イスラエルとはどんな国か？

——建国に込められたユダヤ人存続の思い

◉国際社会の関心がウクライナから中東に移った

近年の国際社会の最大の関心事はロシアによるウクライナ侵略でしたが、2023年10月にイスラエルとハマスの戦闘が始まると、国際社会の目はむしろ中東に集まり、一刻も早い停戦を求める声が高まりました。しかし、ハマスは少数を除いて人質を解放せず、一方のイスラエルはガザ地区に潜むハマスへの攻撃を続けています。結果として民間人多数が犠牲となり、ガザ地区の衛生環境は悪化、人々は住む場所を追われ、飢餓状態に陥りました。

戦いは収まるどころか激化の一途をたどったわけですが、長期的な視点で見たとき、このもめ事のそもそもの原因はイスラエルという国ができたことにあります。イスラエル建国に伴い、パレスチナ地方の土地争いが激しさを増し、今日まで断続的に戦闘が繰り返されてきました。

第2章で武力衝突の背景をイスラム世界の側から見たので、本章ではイスラエル側からこの問題を見ていきましょう。

長年にわたってひどい迫害を受けてきたユダヤ人は、なぜ自分の国を作れたのか。迫害されていた民族がなぜ今ではアメリカや世界で力を持つようになったのか。また、国際社会から強く非難されているのに、イスラエルがガザ地区での軍事行動をやめないのはなぜか。

イスラエルやユダヤ人のことを知れば、今の国際情勢がよくわかるはずです。

●ヨーロッパのユダヤ人の3分の2が殺された

ユダヤ人といえば、『アンネの日記』を思い浮かべる人も多いのでは？　ナチスの迫害から逃れ、オランダの隠れ家に潜んで暮らしていたユダヤ人少女の日記です。アンネの一家は結局、１９４４年8月、ナチスに見つかって逮捕され、アンネは強制収容所で亡くなりました。

ナチス・ドイツとヒトラーの蛮行については、学校で習いましたよね。１９３３〜45年に虐殺されたユダヤ人は約６００万人に上ります。彼らはユダヤ人というだけで差別され、強制収容所に入れられ、強制労働させられたり、あるいは人体実験の対象

ナチス・ドイツによるユダヤ人への迫害

「アンネの日記」を残して
死んだユダヤ人少女、
机に向かいノートを広げる。

写真：ロイター／共同通信

アドルフ・ヒトラー

写真：Heritage Image／アフロ

1933年～1945年

ユダヤ人約600万人を大量虐殺

ユダヤ人の活躍

※2020年までの受賞者
出典：アメリカン・エンタープライズ研究所
ノーベル賞受賞者
約22%がユダヤ人（930人中208人）

になったりして殺されていきました。当時ヨーロッパに住んでいたユダヤ人の3人に2人、3分の2が殺されたといわれています。

そうやって想像を絶する迫害を受けたユダヤ人ですが、今ではたくさんの成功者が生まれ、アメリカや世界で力を持つ存在になっています。

たとえば、2020年までのノーベル賞受賞者の約22パーセントがユダヤ人です（出典：アメリカン・エンタープライズ研究所）。物理学賞や化学賞、生理学・医学賞など全部含めた受賞者のうち2割以上をユダヤ人が占めました。また、世界で成功している様々なアメリカの企業の創業者、あるいは大富豪ランキングにもユダヤ人の名前が大勢登場します。

ユダヤ人の人口は世界で約1680万人ほど、割合にして約0・2パーセントにすぎないのに（出典：JEWISH VIRTUAL LIBRARY）、これだけいろいろな分野で活躍しているわけです。

●ユダヤ人が迫害された理由

では、ひどい迫害を受けた人口の少ないユダヤ人がなぜ、世界で力を持つ存在になれたのか。歴史をひも解くとその理由が見えてきます。

第2章で述べたように、紀元前から今のイスラエルがあるあたり（パレスチナ地方）で暮らしていたユダヤ人たちは、ローマ帝国に国を奪われ、散り散りバラバラにされました。

彼らの多くが移り住んだのがヨーロッパや中東です。特にキリスト教が広く普及したヨーロッパでは、ユダヤ教徒は少数派であることに加え、キリストを殺した責任を

ユダヤ人が迫害された理由

追及されて非常に苦しい立場に置かれました。「ユダヤ人にはキリストを十字架にかけた責任がある」と考えられたのです。

イエス・キリストを殺した者の子孫だということでユダヤ人は差別を受けるようになります。そのためユダヤ人には職業選択の自由がありませんでした。あの仕事をしたい、この仕事に就きたいと思っても、ユダヤ人の希望はなかなかかなえられず、思い通りにならない時代が長く続きます。

●普通の人がやらない金融業に進出

そういった事情からユダヤ人は普通の人がやらない仕事をやらざるを得ませんでした。それが銀行などの金融業です。

今でこそ人気の高い業種ですが、『聖書』に利子を取ってはならないという教えがあり、中世キリスト教社会の人々は、お金を貸して利子を取るのは好ましくないと考えました。キリスト教徒たちは当然、そういう仕事をやりたがりません。代わりにやったのが差別されていたユダヤ人たちです。実際のところ、ユダヤ人にはその仕事しか

ユダヤ人が金融業に進出したのはなぜか？

聖書の教え
BIBLE
利子をとってはならない

金融業
中世のキリスト教社会
利子をとるのは欲深いこととして禁止

残されていませんでした。

彼らは金融業で必死に働いたので、中には成功して財をなす者が現れます。しかし、これがかえってキリスト教徒の反発を招きます。成功してお金持ちになる人が出てくると、差別したのにお金持ちになってしまったということで、嫉妬《しっと》心からますます憎まれるようになったのです。

ヨーロッパでは「ユダヤ人は敵だ。排除しよう」という動きが広まり、その動きは時代を追うごとに強まります。そして19世紀後半には、とうとう「ユダヤ人は劣った民族だ」とする考え方まで現れ、職業差別にとどまらず、財産の略奪、国外への追放とユダヤ人排斥《はいせき》はエスカレートしていきました。

ユダヤ人排斥を極限まで推し進めた結果、起きたのがナチス・ドイツの大量虐殺です。

1930年代のドイツは、第一次世界大戦での敗戦後、巨額の賠償金支払いなどで社会や経済が大混乱に陥り、国民の不満がたまりにたまっていました。その不満をそらすためにヒトラーが目を付けたのがユダヤ人です。

ヒトラーは、国民の不満をユダヤ人に向けた

19世紀後半～ 「ユダヤ人は劣った民族」

彼はユダヤ人に対する差別意識を刺激して、「ドイツが負けたのはユダヤ人がいたからだ」「ドイツが発展できないのはユダヤ人のせいだ」などと非難の矛先をユダヤ人に向け、「ユダヤ人がいなくなればドイツは発展する」と人々に訴えました。

こうしてヒトラーはユダヤ人を片っ端から強制収容所に入れ、次々に殺害していきました。

●新天地を求めてアメリカに移住し、成功した！

ヨーロッパでは19世紀後半以降、次第に激しくなる差別に危機感を覚えたユダヤ人たちが、それぞれの国を離れ、新天地を求めてアメリカに移住しました。彼らはアメリカ社会に定着し、仕事でも成功を収めたため、さらに多くのユダヤ人がアメリカに渡っていきました。

現在、イスラエルにいるユダヤ人とアメリカにいるユダヤ人の数は、ほぼ同じです。それくらいアメリカには大勢のユダヤ人が住んでいます。

もっとも、新天地アメリカに差別がなかったわけではありません。アメリカもキリ

ヨーロッパでの激しい差別から新天地へ

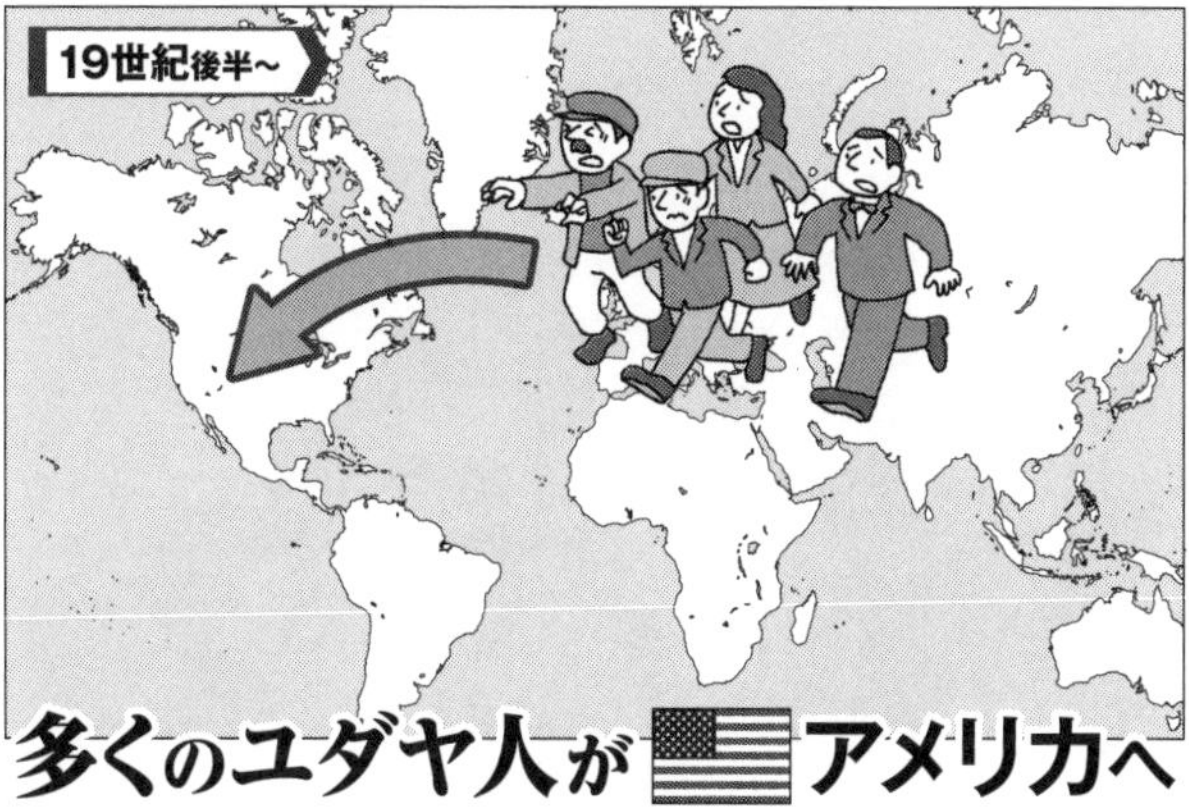
19世紀後半〜
多くのユダヤ人がアメリカへ

スト教徒が主流の国でしたから、ユダヤ人はやはり差別されました。そこで彼らは、将来性がないと言われ、みんながやりたがらない仕事に就いたのです。

何の仕事に就いたかわかりますか？ヒントはハリウッド。

そう、映画産業です。今ではアメリカを代表する一大産業になりました。しかし、ユダヤ人が移り住んだばかりの頃は、一部のお金持ち中心の娯楽と思われていて、将来性のない格が低い仕事という見方が一般的でした。

他にこれといった働き場所もなかったため、ユダヤ人たちはそこで働くしかあ

映画を巨大ビジネスに発展させたユダヤ人

りませんでした。映画会社をいくつも立ち上げ、各地に映画館を作り、庶民も見られるような安い料金で映画を公開して普及に努めたところ、やがて映画人気に火が付き、今につながる巨大産業に発展しました。

ハリウッドを見ていると、脚本家や俳優にユダヤ人が非常に多いことがわかります。差別されていたがゆえにユダヤ人たちは映画産業で才能を発揮したのです。

さらにユダヤ人のノウハウを生かしてあるものを設立しました。

あるものとは何でしょう？　もうわかりますね。ユダヤ人が得意な商売、すなわち銀行です。彼らは次々に銀行を設立し、アメリカのみならず世界の金融を牛耳《ぎゅうじ》る存在となっていきました。

アメリカにももちろんユダヤ人差別はあったわけですが、ヨーロッパほどではなかったことが幸いしました。

また、20世紀に入ってアメリカが世界の大国となり、経済が順調に発展する中で、その流れにうまく乗ってビジネスチャンスをものにしたこともユダヤ人の成功の要因です。

今や銀行や映画業界のみならず、あらゆる分野でユダヤ人が活躍しています。特に金融、映画、デパート、ファッション、ＩＴ、食品などにユダヤ系の大企業が多く、ユダヤ人は産業界で大きな影響力を持つようになりました。

●ユダヤ人はなぜ商売上手なのか？

アメリカでの成功を見てもわかるように、ユダヤ人は商売上手です。なぜユダヤ人はビジネスを成功させるのが巧みなのでしょうか。

ユダヤ教の経典「タルムード」

「自分を知ることが最大の知恵である」

それは、彼らが『タルムード』を学んでいるからだといわれています。

『タルムード』は、生きる上でのルールや信仰などが書かれたユダヤ教の経典です。ユダヤ教徒にとっては『(旧約)聖書』と並ぶとても大事な本ですが、ビジネスパーソンの指南書としても重要視されています。

たとえば、こんなことが書いてあります。

「自分を知ることが最大の知恵である」

考えさせられる言葉です。

『タルムード』は総ページ数が2711ページもあり、膨大《ぼうだい》な内容がぎっしり詰まった本です。長い間、迫害されてきたユダヤ人は、財産は奪われることもあるけれど、知恵は決して盗まれることがないと体で知っています。そこで、生き残るためにこうした経典を学んだり、学業に力を入れたりしてきました。その結果、ノーベル賞を取るような学者が生まれたり、商売で成功する人たちが出たりと、目に見える成果が表れたのです。

ユダヤ人は、迫害されてきたからこそ、生き延びるために何よりも知恵を大事にしてきました。

●軍事とＩＴで周辺諸国に対抗

そんなユダヤ人たちが、「もう迫害は嫌だ。自分たちの国を作りたい」と願ってできたのがイスラエルという国です。しかし、民族も宗教も違う中東に急に新しい国ができたので、建国後ももめ事が絶えません。

イスラエルの周りの国を見ればわかるように、イスラエルの人口約９５０万人に対し、対立しているイランは約８９００万人。エジプトは１億人を超え、サウジアラビ

人口が大きい敵対国に囲まれたイスラエル

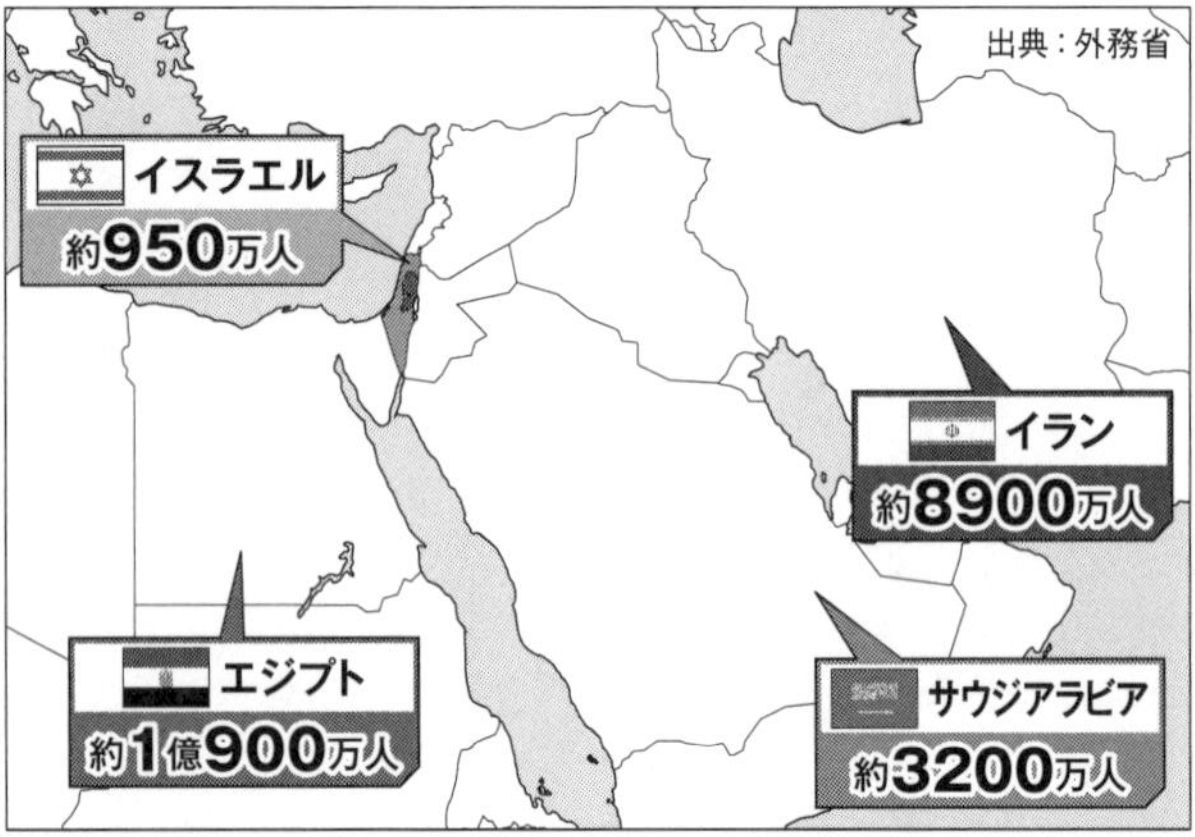

アも約3200万人です。しかも、みんなユダヤ人の国を敵視しています。

人口が大きい敵対国ばかりに囲まれたイスラエルは、もし戦争になった場合、人口の面から考えるととても勝ち目はありません。万が一の事態が起きたときに自国の安全を守るには、日ごろから軍事に力を入れ、技術も高い水準を維持しておかなければならないという強い危機意識を持っています。

そんな中で今イスラエルが力を入れているのが、無人の戦闘車両や無人偵察機、無人攻撃機などの開発です。

軍事技術よりもさらに進んでいるのが

軍事技術とIT技術に力を入れているイスラエル

ＩＴ技術です。ＵＳＢメモリ、スマホのメッセージアプリ、スマホの顔認証システムなどは、もともとイスラエルの企業が開発したものです。軍事技術のＩＴ分野への応用に積極的だったことが、優れた製品やソフトウェアの開発を可能にしました。

イスラエルはアメリカと並ぶＩＴ大国であると同時に、先端技術の開発でも世界有数の国です。日本が小学校でプログラミング教育を始めたのは最近のことですが、イスラエルは１９９０年代からプログラミング教育に力を入れてきました。技術立国を目指す日本がイスラエルとの関係強化に動いているのは、イスラエルの高い技術力を見据えてのことです。

●世界最強のスパイ集団モサド!!

何かともめ事が多い中東にできた国だから、イスラエルにはこんな組織もあります。それが対外情報機関のモサド。その実態は世界最強のスパイ集団です。

アメリカにも同じような組織としてＣＩＡがあり、イスラエル・ハマス紛争に関しては、その解決や停戦の実現のために、バーンズＣＩＡ長官がたびたび中東を訪問し

世界最強のスパイ集団「モサド」

敵対する国と 極秘会談

TOP SECRET
Down road
モサド
敵対する国の 機密情報 を入手

ている様子が報道されています。

モサドはＣＩＡよりもはるかに少ない人数にもかかわらず、様々な工作や情報収集で成果を挙げてきました。このため、「アメリカのＣＩＡより優れている」「世界最強だ」などといわれ、国際的に高い評価を得ています。

ただし、今回はハマスの先制攻撃を全く予測できませんでした。モサドは対外諜報《ちょうほう》機関で、パレスチナに関しては国内の諜報機関であるシンベトの担当だったのです。このためシンベトが国内で批判されています。

モサドの業務は、敵対する国の様々な情報を入手すること、いろいろな国との間で極秘会談をセットすることなどですが、時には非合法活動に手を染めることもあります。

モサドはイランの核開発を阻止しようと、関与している科学者を一人ひとり殺害していったといわれています（出典：ＢＢＣ）。この事件では、イランが「イスラエルの犯行だ」と言っています。名指しされたイスラエルは、やったとは言っていませんが、やっていないとも言わないのです。

場合によっては暗殺も実行する。だけど手掛かりは残さないということで、モサドは極めて優秀な組織です。

イスラエルがモサドを作ったのは、生き延びるためにはなりふり構っていられないからです。イスラエルにとっての至上命題は、自分の国を守り存続させること。そのためなら死に物狂いになることもいとわない国、それがイスラエルです。

◉『聖書』の教え通りに生きるユダヤ教の超正統派

イスラエルのテルアビブやエルサレム新市街（聖地のある約1キロ四方の旧市街の西側）などに行くと、そこには近代的な街並みが広がっています。ところが時々、不思議な格好をした人を見かけることがあります。日本ではほとんど見ることがない超正統派のユダヤ教徒です。

ハイテク先進国のイスラエルには、そのイメージとは対照的に、ユダヤ教の古い伝統を守って『（旧約）聖書』の教え通りに生きている人たちがいるのです。

彼らの外見は特異で、男性は黒い服を着て黒の山高帽をかぶっています。また『聖

超正統派ユダヤ教徒

イスラム教徒の礼拝者の隣を歩く**超正統派**のユダヤ教徒

写真：Middle East Images／ABACA／共同通信イメージズ

書』に「もみあげは切ってはいけない」と書いてあることを理由に、もみあげを長く伸ばしています。女性の場合は、結婚したら髪の毛をスカーフやかつらで隠すのが普通です。

彼らはTシャツもGパンも着用せず、だいたいいつも上の写真のような格好をしています。イスラエルには、こういう超正統派と呼ばれる人たちが人口の1〜2割いるということです。

厳しいのは服装のルールだけではありません。テレビやインターネットも禁止されています。危険な情報を遮断《しゃだん》して生きることが正しい生き方だと彼らは考えています。しかし、テレビもインターネットも使わずに、一体どうやって情報を得るのでしょうか。

その方法は、なんと壁新聞です。超正統派の人々は、街中に貼られたポスターなどを見て、何日にこんな催しがあるといった情報を得るそうです。

ユダヤ教には労働についても厳しいルールがあります。金曜の日没から土曜の日没までを安息日といい、この日は働いてはいけないことになっています。普通に休んでいればいいわけですが、超正統派の人たちにとって、この日はただの休日ではありません。労働とされていることが全て禁止されるため、日常生活に欠かせない行為の多くができなくなってしまうのです。

『聖書』に記されたことを忠実に守って生活するのが超正統派ですから、何千年も昔の時代に労働とされたことは全部禁止されます。たとえば、火をつけること。これは労働と解釈されるので、火を使うことは禁止です。現代においては、電気をつけることも同じ労働と解釈されて、安息日には電気のスイッチを押せなくなります。

火を使ってご飯を炊くのはもちろんのこと、炊飯器のボタンを押して炊くのもルー

『聖書』に記されたことを忠実に守る超正統派

テレビ・インターネットは禁止

情報は壁新聞

休日は全ての労働が禁止
炊飯器や電気のスイッチを押すのも禁止！
自動で点くならOK!

ル違反になります。エレベーターに乗って行き先のボタンを押してもいけない。ボタンを押した瞬間に新たに電気が通りますよね。これは労働に当たると解釈されます。

こうした超正統派に配慮して、イスラエルには全部の階に止まるエレベーターやある時刻になると自動で点灯する照明などがあります。

そのほか、トイレットペーパーもその都度切って使うのが普通なのに、切るという行為は労働だというので超正統派は休日には切りません。あらかじめ切ったものをたくさん用意しておき、それを使うのだそうです。

●超正統派は驚くほど男女のルールに厳しい！

超正統派のユダヤ教は驚くほど男女のルールに厳しいことでも知られています。超正統派といってもいろいろな宗派があるので一概には言えませんが、より厳格な宗派では、「独身の男性は女性を見てはいけない。女性のことを考えてもいけない」と教わって育てられるそうです。

現実にそんなことができるのかと思ってしまいますね。でも、超正統派の学校は私たちがイメージする義務教育の学校とは全く違います。男性は主に『聖書』や『タルムード』を学んで過ごし、しかも男女別学ですから、超正統派の教えに従って生活することが無理だとは言えないのです。

また、小さい頃から男女別の生活が当たり前とされ、自由恋愛は否定されます。結婚はどうするのかというと、日本でも昔は自由恋愛が許されず、お見合い結婚が普通でした。それと同じように、間を取り持つ仲介人がいて、その人にお金を払って相手を紹介してもらい、お見合いをして結婚します。

このとき、2~3回しか会わずに結婚すると、所帯を持った後で悩む男性が出てきます。そうすると、電話で相談に応じてくれるガイド役がいて、いろいろとアドバイスをしてくれるということです。

なお、超正統派のユダヤ教徒は、自分の子どもにも超正統派を受け継がせようとします。素直に受け継ぐ人がいる一方で、中には反発して家を飛び出してしまう人もいるそうです。

超正統派は男女のルールも厳しい

ユダヤ教
超正統派の中でも特に厳しい宗派では…
仲介人にお金を払いお見合いをセッティングしてもらう
電話で質問に答えてくれるガイド役がいる

◉ハマスの先制攻撃はホロコーストの現代版

長いこと迫害を受けてきたユダヤ人がやっとのことで手にした国がイスラエルです。でも、その土地から追い出されたアラブ人との土地争いはなかなか解決せず、とうとうハマスによる残虐なテロが起きてしまいました。

大勢のユダヤ人が殺され、兵士や住民が人質に取られました。一度に1200人ものユダヤ人が殺害されたのは、あのホロコースト（ナチス・ドイツの大量虐殺）以来、なかったことです。

イスラエルではこれはホロコーストの現代版だと受け止められ、国民は強い恐怖心を抱いています。それゆえ、何としてもハマスを壊滅に追い込み、二度とテロを行えないようにしなければならない。多くのユダヤ人がそのように考え、イスラエルの軍事作戦を支持しています。

しかし、ガザ地区では無関係の住民が巻き添えになり、子どもや女性を含む死者の数は膨《ふく》れ上がりました。

攻撃されたイスラエルが悪いって、どういうこと？

元はと言えばイスラエルが悪い！
長年の恨みが爆発したんだ！
やりすぎだ！
自衛の範囲を超えている！
イスラエルはパレスチナに対して
様々なことをしてきた

先に攻撃されたイスラエルにしてみれば、反撃するのは当たり前で、テロリストたちを叩きつぶすことは正義です。

ところが、実際にイスラエルが反撃を始めると、中東諸国や国際社会から強い非難を浴びせられ、「イスラエルが悪い」という声もかなり聞かれるようになりました。攻撃された側が悪いとは、一体どういうことでしょうか。

一つは、イスラエル軍が民間人の犠牲を顧みずに、ガザ地区で激しい軍事作戦を実行したことにあります。これには「いくら何でもやりすぎだ」「民間人を犠牲にするのはおかしい」という抗議の声が上がり、「イスラエルによるジェノサイド（大量虐殺）だ」という厳しい指摘も出ています。

もう一つは、ハマスが先制攻撃をしたのは、それ以前にイスラエルがパレスチナ人にひどいことをしたからであって、ハマスだけを悪者扱いするのは不公平だという見方が広まったことです。

イスラエルの以前からの行動に問題があったのであれば、その点を検証することは、テロの再発を防ぐためにも必要なことでしょう。イスラエル側の行動が、パレスチナ人の怒りや恨みを増幅させた部分もあるのです。

●なぜ「イスラエルも悪い」と言われるの？

ガザ地区とイスラエルやエジプトとの境界に立つ壁は、テロを防ぐためと言ってイスラエルによって建設されたものです。

イスラエルはこれをフェンスと呼んでいますが、実際には高さが8メートルもあるコンクリートの壁です。この壁が海側を除く三方をぐるりと取り囲み、ガザ地区全体

高さ８メートルの壁で囲まれたガザ地区

自由が奪われていた
イスラエル、ガザ地区を囲むフェンスを強化
（2021年12月7日）

写真：AP／アフロ

を封鎖しています。上の写真を見てもらえばわかるように、「アリの這《は》い出る隙《すき》もない」という言葉がぴったりくるような光景です。

ガザ地区の人たちは、壁の内側の狭い土地に押し込められたようなかたちになり、自由な出入りはできません。何カ所か検問所が設けられていて、そこを通れば仕事などでの出入りはできるものの、あくまで限定的です。壁があるせいで食料や燃料などの生活物資も十分には入ってこない状態が長年続いてきました。

住民たちは自由を奪われているという閉塞《へいそく》感を持っており、これを打破したい

イスラエルが悪い!!

2023年10月21日、タイ・バンコクのイスラエル大使館に集まり、ガザでのイスラエル軍事作戦に抗議

写真：Adryel Talamantes／NurPhoto／共同通信イメージズ

というエネルギーがガザ地区内には充満しています。

悪いのはイスラエルの方だ、原因を作っているのはイスラエルだと主張する人々は、イスラエルへの攻撃の背景にはこの閉塞感があると考えています。

●「自治区」とは名ばかりのヨルダン川西岸地区

また、ハマスのような武装組織ではなく穏健派のファタハが統治するヨルダン川西岸地区では、ユダヤ人がパレスチナ人を追い払ってそこに移り住み、勝手に住宅を建設するなどして両者の争いが繰

「自治区」とは名ばかりのヨルダン川西岸地区

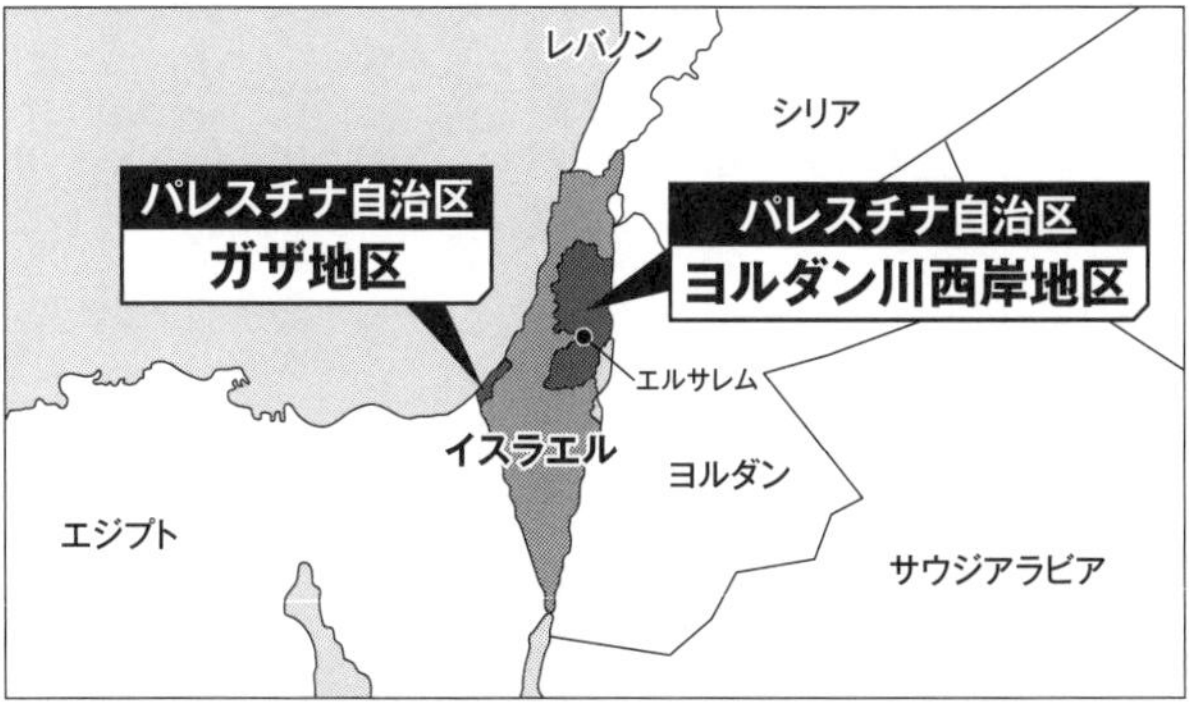

自治が認められたはずなのに…

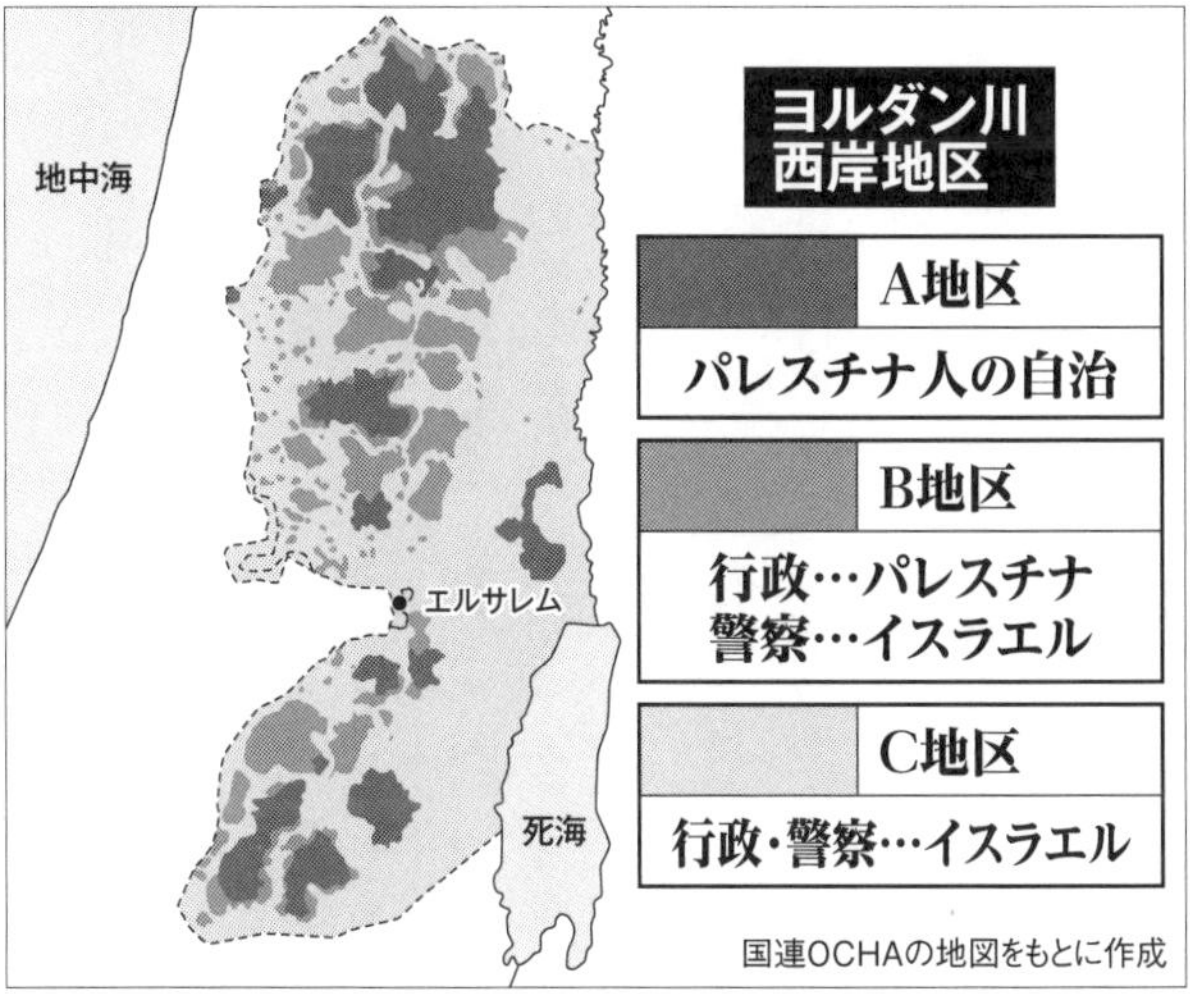

国連OCHAの地図をもとに作成

り返されてきました。

イスラエルと二つのパレスチナ自治区が描かれた地図を見て、「自治区のどこでもパレスチナ人の自治が行われている」と思う人がいたら、それは大いなる勘違いです。実際には、ヨルダン川西岸地区はA地区、B地区、C地区の三つに分かれていて、パレスチナの人たちが完全に自治を実行できているのはA地区だけです。

B地区は、行政はパレスチナ自治政府が行っていますが、警察に関してはイスラエル側の権限が優先されます。C地区に至っては、行政権も警察権もイスラエル政府が握っていて、パレスチナ自治政府は排除されています。

ヨルダン川西岸地区でイスラエルが実権を握っているエリア（C地区）は、面積にして実に約60パーセントにもなります。「自治区」とは名ばかりで、実態は全く違うということです。

パレスチナ人の間では「自治が認められたはずなのに、イスラエルが占領しているようなものではないか」という不満が高まっていました。

◉強硬なネタニヤフ政権にパレスチナの人々が猛反発

さらに、イスラエルの政権に対する反発があります。22年12月に発足したネタニヤフ首相率いる内閣は、イスラエル史上最も右寄りといわれています。このネタニヤフ政権が23年に入って、ヨルダン川西岸地区を中心に「対テロ作戦の実施」という名目でパレスチナ人に向けて様々な攻撃を行いました。これがパレスチナ側の強い反発を招きました。

また、ヨルダン川西岸地区はパレスチナ人の自治区なのに、ユダヤ人の強硬派の中にはそれを認めない人たちがいます。彼らは「ここは神様から与えられた自分たちの土地だ」と言って西岸地区に勝手に入り込み、入植地を作って次々と住宅を建ててきました。すると、ネタニヤフ政権は「イスラエル国民を守るため」と称して、入植地に軍隊を送り込むのです。結果としてイスラエルの支配地域が広がっていくわけです。

逆に言うと、これはパレスチナ自治区の土地がイスラエル側に奪われるということで、パレスチナ人にとっては納得のいかない話です。前から起きていたことですが、

2022年12月に発足したイスラエルのネタニヤフ政権

写真：新華社／共同通信イメージズ

「イスラエル史上最も右寄り」のネタニヤフ政権になってから、そのやり方が一層強引で露骨になりました。

なぜこういうことが起きるのでしょうか。それにはイスラエルの政治の在り方が関係しています。

イスラエルが採用しているのは一院制の比例代表選挙です。二大政党制と違って比例代表選挙では、様々な民意を反映する少数政党が乱立しがちで、考え方の異なる政党が集まって連立政権を作らないと内閣が成立しないという事情があります。

このため、現在のネタニヤフ政権の中

には最も強硬な政党、つまり「パレスチナ自治区は認められない。そこは神様からもらったユダヤ人の土地だ」と主張する政党が入っていて、彼らの支持者たちがパレスチナ人に様々な嫌がらせなどをしているのです。これに対してパレスチナ側は猛反発してきました。

だからといってハマスのやったことを認めるわけにはいきません。「ハマスの奇襲攻撃、先制攻撃は仕方のないことだ。大勢の人を殺害した上、人質を取ったこともやむを得ない」と言うことはできません。あの攻撃は絶対許されないことです。しかし、背景にはパレスチナ人の積もり積もった不満や反発もあるのです。

第4章

サウジアラビアとはどんな国か?

——中東問題のカギを握る王国

ムハンマド皇太子

写真：ロイター／共同通信

◉サウード一族が支配する王国

緊張が続く中東情勢のカギを握る国の一つがサウジアラビアです。アラブ世界のリーダーとしてサウジアラビアが何を言うか、どう行動するかは、中東と世界に大きな影響を与えます。

2023年11月にサウジアラビアで開かれたイスラム諸国の会議では、ムハンマド皇太子がイスラエルを非難し、即時停戦を訴えました。近年、サウジアラビアはイスラエルとの関係改善に動いていただけに、この会議で反イスラエルの立場を明確にしたことは、イスラエルの国

アラブ世界のリーダー「サウジアラビア」

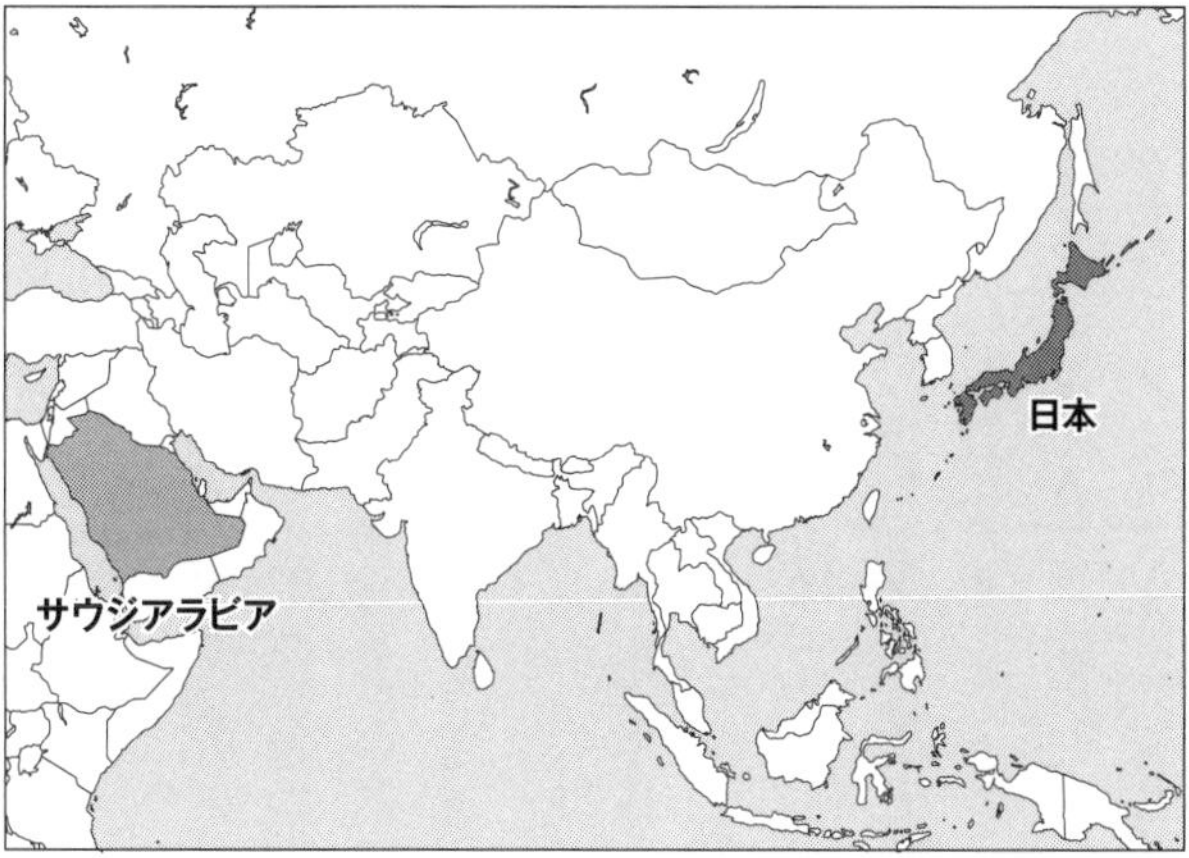

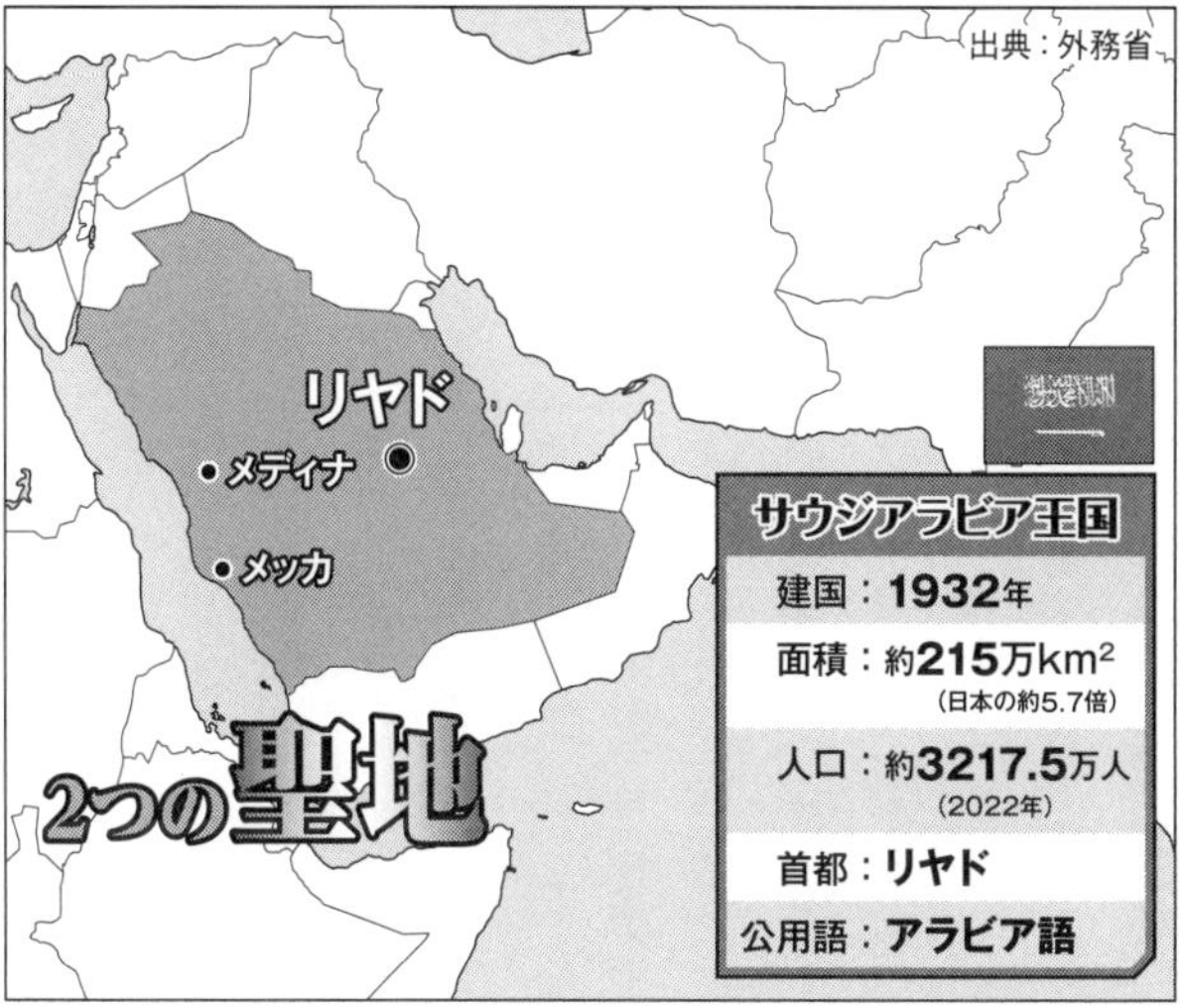

出典：外務省

サウジアラビア王国	
建国：**1932**年	
面積：約**215**万km²	（日本の約5.7倍）
人口：約**3217.5**万人	（2022年）
首都：**リヤド**	
公用語：**アラビア語**	

際的孤立を強く印象付けるものとなりました。

サウジアラビアはアラブ世界の大国ですが、私たち日本に住む者には馴染《なじ》みが薄く、ほとんどの人は「石油の輸出大国」「厳格なイスラム教の国」「観光で行けない閉ざされた国」といったイメージしか持っていないのではないでしょうか。

私は23年10月末にサウジアラビアのリヤドを訪ね、現地を取材しました。その時の様子を紹介しながら、大きく変わろうとしているサウジアラビアの今の姿をお伝えしましょう。

まず、サウジアラビアの位置と大きさを地図で確認しましょう。中東のアラビア半島にある国で、面積は日本のおよそ5・7倍あります。首都はリヤド。

サウジアラビアという国名は「サウード家のアラビア」という意味です。サウード家という王族が統治しているということ、言い換えれば、アラビア半島の大半がサウード家のものだということです。

サウジアラビアにはイスラム教にとって大事な聖地が二つあります。それがメッカとメディナです。メッカはムハンマド生誕の地であると同時に、神様の言葉を聞いたとされるところ、メディナはムハンマドが生前活動の拠点を置き、最後に亡くなったところです。
よく知られているように、サウジアラビアはイスラム教について非常に厳格な考え方を持っています。といって敬遠されているわけではなく、周りのイスラム教の国々もサウジアラビアには一目置いています。

●不思議の国サウジアラビアの暮らしは？

名前はよく聞くのに、ほとんどの日本人が行ったことのないサウジアラビア。それもそのはず。イスラム教徒の巡礼など限られた外国人を除けば、最近まで観光での入国は禁止されていました。一体どんな国なのでしょうか。

池上　私は今、サウジアラビアの首都リヤドにいます。この日の気温は40℃。暑いので車で移動する人はいても街を歩いている人はいません。中東というと、今はイスラエルとガザ地区の問題が非常に大きなニュースになるのですが、ここサウジアラビアでは、政治的なことは話題にしてはいけないということで、そういった発言は報道もされず、一般の人たちがどう考えているのかよくわかりません。中東でも、そういう国があるのですね。

サウジアラビアの人たちがどんなものを食べているのか、ほとんどの人はよく知りませんよね。そこで伝統的なサウジアラビア料理店を訪ねました。

池上　ここは古くからのサウジアラビアの住宅を再現したようなお店です。伝統的な作法としては、じゅうたんにあぐらをかいて座り、丸い敷物の上に食事が運ばれてきたらそれを取り分けていただきます。

こちらがオーソドックスなサウジアラビア料理です。とりあえず3人前頼みました。鶏の骨付き肉をどんと載せた炊き込みご飯カブサ、その周りに野菜、牛肉や鶏肉などの入ったシチューが並んでいます。炊き込みご飯とシチューを一緒に食べるということです。ご飯は日本のお米と違って細長い長粒米ですが、意外にいけますね。

池上彰のサウジアラビア取材１

伝統的なサウジアラビア料理店

画像：テレビ朝日

アルコールはご法度。ノンアルコールビール

麦コーラ
と言われている

画像：テレビ朝日

値段は一人だいたい3000円を少し超えるくらいです。

厳格なイスラム教の国ならではの、こんな飲み物も出てきました。

池上　とにかくアルコールはご法度《はっと》、禁止です。だからビールを飲むということはありえない。これはサウジアラビアの伝統的なノンアルコールビールです。見た目はビールみたいですが、麦コーラと言われるそうで、確かにそんな感じの味がします。日本のノンアルコールビールとは全く似て非なるものです。

たぶんサウジアラビアの人は、本当の

厳格なイスラム教では、男女のルールも厳しい

2018年

以前

親族以外の独身男女は一緒に行動できなかった

画像：テレビ朝日

ビールの味を知らないから、こんなものなんだろうと思って飲むのでしょうね。

厳格なイスラム教の国サウジアラビアでも、最近変化が見られるようになりました。

池上 数年前までは、親族以外の男女が一緒に食事をすることはあり得ないことで、絶対許されませんでした。

女性は夫以外に素顔を見せてはいけないという考えから、以前は男性と女性は別々に行動しなくてはならず、飲食店なども入口は別、食べるところも別でした（男性用と家族用）。

店内では、家族用の席はカーテンで覆《おお》って人目に触れないようにします。

最近はこのルールが緩和され、男女の関係に大きな変化が生まれています。女性が男性と一緒の職場で働くこともできるようになりました。

◉「奥さんは4人まで」って本当なの？

次に一般市民のフセインさんのお宅に伺いました。

池上　ここはリヤドの郊外です。サウジアラビアの一般の人たちは一体どんな生活をしているのでしょうか。ちょっとお宅を訪問してみます。着いたところはアパートです。家の前には車が停めてあります。

池上　こんばんは。今日はどうぞよろしくお願いします。

フセイン　はい、よろしくお願いします。

池上　どうして日本語がこんなに喋《しゃべ》れるんですか。

フセイン　日本に留学しました。

池上　ほう。何年ぐらいですか？

フセイン　6年ぐらい。

池上彰のサウジアラビア取材2

一般家庭でも このような食事

画像：テレビ朝日

池上　こちらでどんな仕事をされてらっしゃるんですか。

フセイン　今は日本の会社で仕事をしています。

池上　こちらの現地事務所で働いてらっしゃる。

フセインさんは日本の商社に勤務しているとのこと。奥さんと息子の家族３人暮らしで、住まいは３ＬＤＫ、家賃が約13万円だそうです。

イスラム教の場合、奥さんは４人まで持てます。それはよく知られている話ですが、今実際にサウジアラビアで、特に一般の方で本当に複数の奥さんをお持ちの方がいるのかどうか。失礼を承知の上であえて聞いてみました。

池上　サウジアラビアでは今どうなんですか。奥さん一人というのは普通ですか？

フセイン　普通です。今はみんな一人の女性と結婚してます。４人まではできますが。

池上　できるけど、だいたい皆さん一人？

フセイン　はい。

もし4人と結婚したら、住む場所やプレゼントなど全て平等にしないといけないのだそうです。

池上　それは大変なお金持ちじゃないと無理ですよね。

フセイン　だから、現在はできない。

池上　よく奥さんが4人いるんじゃないかという誤解がありますけど、普通に一夫一婦制、奥さん一人というのがごく普通だということですよね。

フセイン　そうです。

フセインさんのお宅では食事をご馳走《ちそう》になりました。一般家庭でもやはり先ほどのお店のような感じで食事をするそうです。

ラクダの肉とご飯を炊き込んだカブサに野菜、シチュー、そしてスイカをいただきました。

19世紀のお城を修復したマスマク城砦

画像：テレビ朝日

●観光できなかった国が観光客の受け入れを始めた！

首都リヤドの観光スポットといえば、マスマク城砦《じょうさい》です。19世紀のお城を修復したもので、現在は歴史博物館として一般に開放されています。

池上　大勢の外国人観光客が訪れています。今でこそこうやって観光客が来ていますが、少し前まではサウジアラビアでは観光客を受け入れてきませんでした。これまで見ることのできなかった光景です。

サウジアラビアが日本を含む一部の国に観

中東の市場「スーク」

画像：テレビ朝日

光ビザの発給を始めたのは2019年9月のこと。これは画期的な方針転換でした。

次に向かったのはスークです。


池上　スークにやって来ました。スークとはアラビア語で市場《いちば》のこと。中東の市場のことをスークと呼んでいます。スパイスや靴、シャツ、衣類、雑貨などいろいろなものを売っている市場、商店街が並んでいます。

香木、香りの木を扱っているお店がありました。熱した炭の上にこれを載せるといい香りがします。私たちからすると、エキゾチックな香りということでしょうか。

中東の人にとって水は貴重なもの。日本の

ようにお風呂に入るということはめったにありません。そこで、この香りには、匂いをまとうことによって体臭を消すという役割があるのです。

◉10年前とは大違い。サウジアラビアの女性に大きな変化

サウジアラビアでは日中は暑いため、多くの人が夜になると出歩きます。有名ブランドなどが入る大型のショッピングモールには人が集まり、とても賑《にぎ》やかです。

池上　リヤド市内で最大級のショッピングモール「リヤドパーク」に来ました。夜の9時40分という遅い時間なのに、続々と人がやってきています。今日は木曜日。イスラム圏は金曜日が休日になるので、その前の日の花木《はなもく》というわけです。

10年前にサウジアラビアに来たときは、女性は目だけを出して、あとは全部隠していました。体の線が一切見えないというのが当たり前で、そういう女性しかいなかったのです。でも、今見ると、結構多くの人が長い黒髪を隠さずに歩いています。随分変わったなという印象です。

リヤド市内最大のショッピングモール

画像：テレビ朝日

女性の禁止事項〈2018年以前〉

　これまでサウジアラビアの女性は、髪の毛や顔をすっぽり隠し、肌の露出は控えることが義務づけられ、一人歩きや海外旅行、車の運転は禁止されていました。

　でも、そもそもなぜ女性が顔や髪や肌を隠さなければいけないのでしょうか。

　その理由は聖典『コーラン』の中に「『コーラン』に書かれています。『コーラン』の中に「女性は美しいところは隠しておけ」「慎み深くありなさい」という記述があり、サウジアラビアにおいては、これまで目（と手の先）以外は全部隠しておくのが望ましいとされたのです。

サウジアラビアの伝統的な女性の服装

イスラム世界では、「美しいところ」を髪の毛と解釈して、「ヒジャブ」というスカーフで隠すのが一般的です。

ところが、サウジアラビアは「なるべく体を全部隠せ」というように厳格に解釈して、女性たちは全身をすっぽり覆う黒い「アバヤ」を着用し、さらに目以外の部分を隠す「ニカブ」をかぶらなければなりませんでした。上のイラストのような格好が、サウジアラビアでは当然とされました。

この服装の決まりは厳しすぎるとして、アバヤなど全身を覆う衣装の着用義務が事実上自由化されたのは２０１８年です。サウジアラビアのショッピングモールで黒髪をなびかせて歩く女性が増えたのはそのためです。

女性の一人歩きや海外旅行などができなかった理由については、建前の上では「イスラム教の教えは女性を大切な存在と見ているから」という説明がなされてきました。

女性は大切な存在だから人前になるべく出さないようにしようとか、女性を一人にしたらよこしまな男が寄ってきて誘惑されるかもしれないとか、美しい女性がいると男性がモヤモヤして神様のことを忘れがちになるのではないかとか、そういう独特の解釈から女性を特別扱いしてきたのです。

でも、イスラム世界がみんなそう考えてきたわけではありません。むしろこれはサウジアラビア独特の考え方で、本当にイスラム教の教えなのか、それとも昔ながらの「女は外に出てはいけない」という保守的な考えなのか、ということが実は曖昧《あいまい》でした。真相は不明ですが、今ではこういうことが全部認められるようになっています。

◉顔ありのマネキンが当たり前に！

変化はそれ以外にもあります。イスラム教には偶像崇拝をしてはいけないという決まりがあり、かつてのサウジアラビアではアパレルショップやショーウインドーなどに人型のものを飾ることを禁じていました。

池上　サウジアラビアに前に来た時には、マネキンの首から上がなかったのです。顔がついていると偶像と見なされ、偶像崇拝は禁止だからとわざわざ首のところで切っていました。

それが今はすっかり様変わりして、ちゃんと普通のマネキンとして展示されています。サウジアラビアの大きな変化を示すものです。

この変化を現地の人はどう思っているのか聞いてみました。

学生　いろいろ変わって最高だよ。日本やアメリカからたくさん来てくれるのを楽し

厳しい決まりが緩和され、マネキンにも変化が

かつてのサウジアラビア

神として拝まないよう人型の物を飾るのは禁止

首ありのマネキンが当たり前に！

画像：テレビ朝日

みにしてるよ。（21歳、男性）

◉厳格なイスラム教国に娯楽施設が増えた

さらに、今までなかったこんなものができていました。それが映画館です。

池上　ショッピングモールの中には映画館があります。別に映画館なんて珍しくないだろうと思うかもしれませんが、イスラム教国のサウジアラビアでは画期的なことだったのです。

「娯楽や楽しみは天国に行ってから思う存分味わえばいいんだ。地上の生活では、ひたすら神様のことを考えていればいい」。サウジアラビアにはこういう考え方があります。

また、映画館というと、見知らぬ男女がたまたま隣同士になることがありますよね。欧米や日本では、それがきっかけでお互いに言葉を交わし、時には恋愛に発展することもあるでしょう。映画館を作るとそういうことが起きると危惧《きぐ》する人が多かっ

映画館やゲームセンターも容認

画像：テレビ朝日

たのですが、今では何事もなかったかのように映画館が容認されています。

映画館の横には派手なゲームセンターがあり、これも今までなかった新しい娯楽です。アバーヤをまとい、ニカブで顔を隠した女性が夢中になってゲームをやっている姿が印象的でした。

◉砂漠に映画のような未来都市を建設中！

急激に変化するサウジアラビアでは、信じられない計画が進んでいます。

池上　ＮＥＯＭ《ネオム》ミュージアムにやってきました。砂漠に巨大な未来都市を作ってしまおうという驚くべきプロジェクトが進行中で、ここはそのモデルルームです。将来こういうものができるという未来の姿を模型や映像などを使って見せてくれます。

「ザ・ライン」（線）と名付けられた、全長１７０キロにわたる細長い線状の新しい都市を砂漠の中に作るそうです。

砂漠に巨大な未来都市を作るプロジェクト「ザ・ライン」

画像：テレビ朝日

提供：NEOM／AFP／アフロ

「ザ・ライン」のリアルな模型

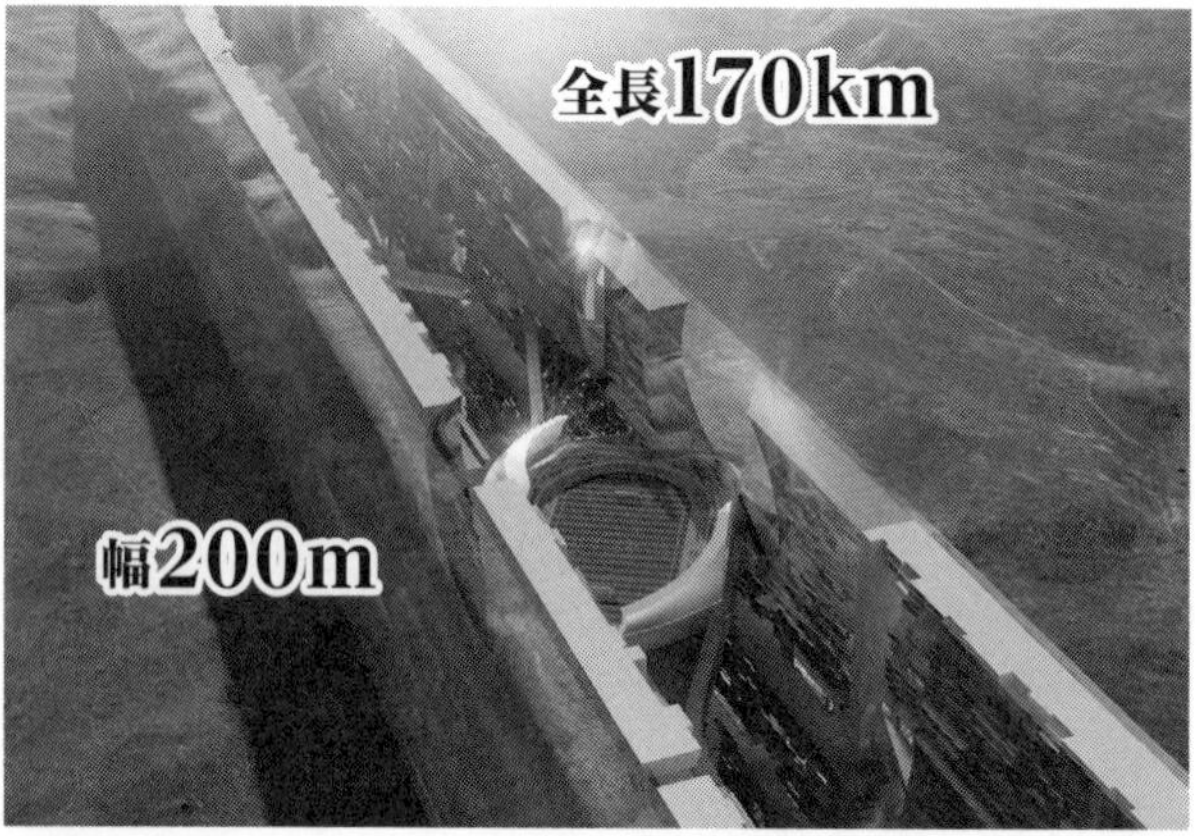

提供：Neom／Balkis Press／Abaca／アフロ

提供：Neom／Balkis Press／Abaca／アフロ

ＰＲ映像には強烈なインパクトがありました。高さ５００メートルの鏡の壁に囲まれ、幅は２００メートル、長さは１７０キロもある細長い街を建設し、その中で約９００万人が暮らすということです。

池上　「ザ・ライン」は単なる計画ではなく、すでに工事が進められています。ミュージアム内にはリアルな模型があり、完成した未来都市の具体的な姿がわかるようになっています。高さは５００メートルもあるんですね。立体的な街づくりということで、かなり高い場所にも住居があり、樹木も生い茂っていて、自然との共生を意識しています。もうなんだかＳＦの世界を見るようですね。

◉ここまで急激に変わったのはなぜ？

これまで厳しいルールで有名だったサウジアラビアは、なぜここまで急に変わったのでしょうか。

原油の生産量

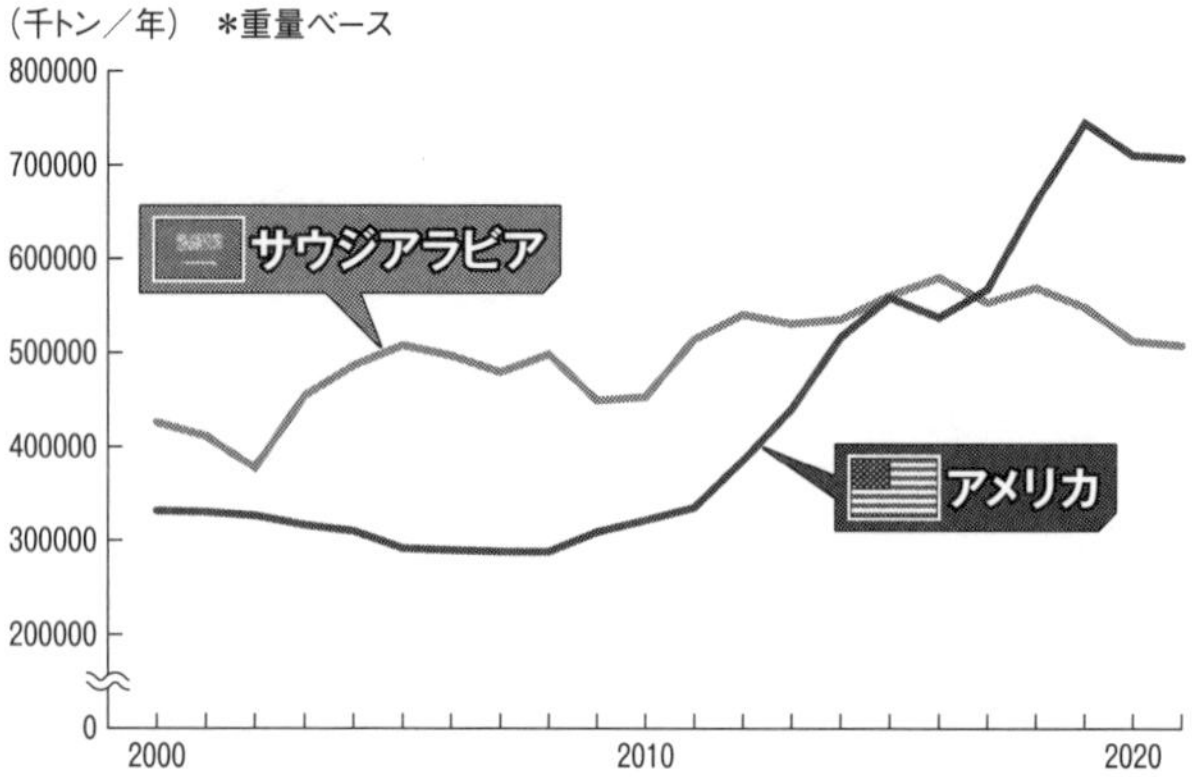

出典：BPのデータをもとに作成

原油生産量／日

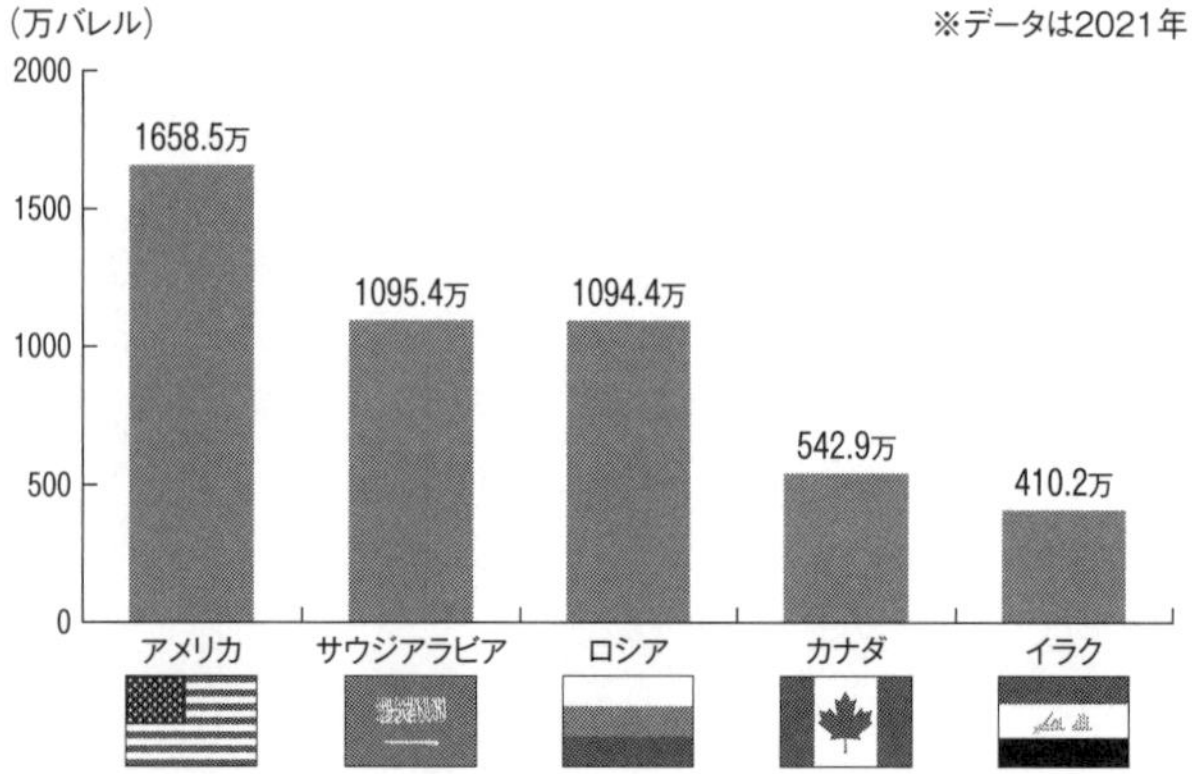

出典：BP Statistical Review of World Energy 2022-Oil Production

国の財政赤字が深刻に！

サウジアラビア
中東一の産油国
教育費・医療費は無料
税金もなかった

ポイントは石油です。サウジアラビアは中東最大の産油国。日本の石油調達先もサウジアラビアがトップです。この豊富な埋蔵量を誇る石油を世界中に売って大金持ちになったサウジアラビアは、公立の場合は教育費が無料、医療費も無料、税金も一切ないという時代が長らく続いてきました。

ところが、2018年から消費税を導入するなど、最近雲行きが怪しくなってきたのです。

世界一石油が取れる国は、今はサウジアラビアではなくアメリカです。さらに、気候変動の問題からSDGs（持続可能な開発目標）に取り組む国や企業が増え、世界的に脱石油、脱炭素の動きが広がりました。

「温暖化防止のために石油をなるべく使わないようにしよう」というのが世界的なトレンドです。そうなると石油は売れなくなってしまいます。実際、石油に対する需要が減り、国の財政赤字が深刻になっています。

そこでサウジアラビアは考えました。

「石油頼みでは国の未来はない」

このまま石油に依存していたのでは、いずれ立ち行かなくなるのは明らかです。石油の需要が減れば収入は減り、仮に需要が回復したとしても、今はたっぷりある原油もいつかは枯渇《こかつ》するからです。

●石油に頼らない国づくりへ

石油に頼っていたらこの先行き詰まると考えたサウジアラビアは、石油以外の収入源を増やす政策に舵《かじ》を切り、２０１９年に観光ビザを解禁しました。以来、石油以外の産業の育成に力を入れ、観光客の受け入れも積極的に進めています。

とはいっても、サウジアラビアに行ってみたら映画館もない、娯楽施設もない、観光名所もないということでは、最初のうち物珍しさで来る人はいても、長続きしませんよね。

そこで、訪れた観光客に喜んでもらえるよう観光の目玉になるようなプロジェクトを計画し、いろいろな娯楽施設の建設も始めたのです。

これらは第三者の私たちの目には合理的な改革と映りますが、サウジアラビアの人たちがもろ手を挙げて賛成しているかというと、必ずしもそうとは言えないようです。もともと極めて厳格なイスラム教徒が多数を占める国です。とりわけ保守的な人たちは内心苦々しい思いで見つめているかもしれません。

仮にそれが本当だとしても、反発や不満をうっかり口にできないのが今のサウジアラビアです。

なぜならば、誰も逆らうことができない人、つまり絶大な権力の保持者である皇太子のツルの一声で始まった改革だからです。

エンタメ産業が新たな収入源に

2023年
クリスマス

写真：ロイター／アフロ

2022年
ハロウィン

写真：ロイター／アフロ

クリスマス ハロウィン 解禁

2022年
アニメイベント

画像：テレビ朝日

コスプレOK のアニメイベント

現在、サルマン国王の息子のムハンマド皇太子が絶対的な力を持っていて、事実上、サウジアラビアの政治をあらゆる分野で指導しています。このムハンマド皇太子がこれからは石油に頼らない国づくりをすると表明したので、みんな表向き素直に言うことを聞いてそれに従っているわけです。

最近はコスプレOKのアニメイベントやゲームのイベントもよく開かれていて、エンタメ産業は国の大きな収入源になると政府は見ています。驚いたことに、クリスマスやハロウィンも解禁されました。

全ては石油に頼らない国づくりのためということで、今後も世界を驚かせるような改革を打ち出してくる可能性があります。

◉超高級ショッピングモールに日本の商品がずらり

日本ブームが起きていると聞き、ある場所を訪ねました。

池上　リヤド郊外の超高級ショッピングモール「ヴィア・リヤド」です。世界的に有

リヤド郊外の超高級ショッピングモール

画像：テレビ朝日

名なブランドが軒を連ねている様子は、なかなか壮観です。お金持ちが大勢買い物に訪れるところですが、ここで日本の商品が売られているそうです。どんなものなのか見に行きましょう。

高級食材ばかり扱ったフロアの一角に、日本の商品がありました。

池上　ここには調味料がたくさん並んでいます。お酢があります。寿司酢もありますね。以前はアルコールが入っているのではないかと疑われて、サウジアラビアには絶対に持ち込むことができませんでした。実際にはほと

以前はサウジアラビアに持ち込めなかったお酢が販売

画像：テレビ朝日

んど入っていないのですが。
そのお酢が今は堂々と目立つところで売られています。ちなみに寿司酢は日本円にして約2200円です。

2階にも日本のお店があります。

池上　階段を上がったところにあったのはヨックモック（東京のお菓子メーカー）。日本ではお中元やお歳暮の定番商品です。中東でも大人気といわれていて、超高級ショッピングモールの中にかなりのスペースを取って出店しています。20本入りが約6600円だそうです。日本だと2000円もしないので、と

日本のお菓子は中東で大人気

画像：テレビ朝日

てつもなく高級品ですね。

店員さんに聞いてみました。どんな人が買っているのですか？

店員　王族の方や大使などお金持ちの方が買っていかれます。

池上　王族御用達《ごようたし》の店というわけですね。

次は飲料コーナーに向かいました。

池上　日本の「い・ろ・は・す」があります。２リットル入りのかなり大きいものが売られています。値段はいくらだと思いますか？　これがなんと約２６００円です。びっくりしますよね。

空輸しているので、それだけコストがかかっているわけですが、日本の「い・ろ・は・す」がこちらではブランド品としてこれだけ高い値段で販売され、しかも売れているというのは驚きです。

日本人が経営するお寿司屋さんもありました。

経営者　10貫で2万4000円ほどです。こちらの王族の方ですとか、ＶＩＰのお客様が比較的多くいらっしゃいます。

王族の方が来られるという話がありました。王族というと、「えっ、そんなに客が少なくて経営が成り立つの？」と思うかもしれませんが、サウジアラビアの場合は、歴代の国王、皇太子、そしてその子どもたち、孫たちを合わせると相当な数に上り、王子と王女を合わせて3万人以上いるのです。

その人たちがみなヴィア・リヤドに買い物に来て食事をしていく。ですから、それだけでも十分経営的に成り立つというわけです。

◉日本のアニメやグッズが大人気!!

以前なら考えられないショップがあるというので、一般市民向けの店が並んでいる通りに移動しました。

池上　ここには4年前、日本のあるものを売る店ができました。一体どんなものなのか、ちょっと中に入ってみましょう。店内を見れば、もうわかりますね、アニメのフィギュアの専門店です。ものすごい数の日本のアニメのフィギュアが並んでいます。

日本のアニメやグッズは世界中で人気ですが、4年前までサウジアラビアでは、先ほどのマネキンと同様、50センチ以上のフィギュアに関しては偶像崇拝に当たるという理由で販売できませんでした。それがどうでしょうか。かつてそんな規制があったとは信じられないほどです。しかも、店員の女性は全くサウジアラビアっぽくない格

アニメのフィギュアのお店もできた！

画像：テレビ朝日

好をしています。

池上　このフィギュアの店で働いているんですね。フィギュアは好きですか？

店員　はい。大好きです。

池上　サウジアラビアは最近、随分いろいろ変わっていますね。この変化をどう思いますか？

店員　……

国民に政策のことを聞くのはまだダメなようです。

●超お金持ちのコレクションルームで見たものは？

サウジアラビアには超お金持ちの日本マニアがいるそうです。

池上　先ほどキャラクターショップにお邪魔しましたけれども、日本のアニメやアニ

日本のアニメが大好きなサーメルさんのお宅訪問

画像：テレビ朝日

メキャラクターが大好きだという若者がいるので、今度はそのお宅を訪問してみましょう。

池上　リヤドでもかなりの高級住宅街です。中に入ると、……すごい！　なにこれ。壁一面、日本アニメのフィギュアだらけです。

サーメル　これは「あしたのジョー」。

池上　なんと、最後の白く燃え尽きるシーンじゃないですか。「はじめの一歩」のフィギュアも。

　案内してくれたのはＩＴエンジニアのサーメルさんです。サウジアラビアでは、昔日本で放送された「ＵＦＯロボ　グレンダイザー」というアニメが大人気なのだそうで、そのフィギュアが一際目立つように飾ってありました。

　グレンダイザーは、マジンガーＺなどのようなロボットアニメ。日本では１９７５～77年に放送されています。

サウジアラビアの高級住宅。大豪邸と広い庭には公園も

画像：テレビ朝日

日本のアニメが好きな理由を尋ねたところ、家族を大切にして父親を立てるといった、家族の価値を重んじるところがサウジアラビアと非常によく似ている、アメリカのアニメと違って日本のアニメはそういうところが魅力だと話してくれました。

私が案内してもらったところは、実は住まいではなくコレクションルームでした。自宅は別にあり、コレクションルームには友人を招いたりするそうです。いわば別宅ですね。お金持ちの世界では結構、普通にあるんだとか。

部屋から外へ出て狭い通路を抜けると、そこには大豪邸が建っていました。広い庭には子どもが遊ぶ公園があり、サッカーコートまであります。ちょうど子牛の丸焼きをやっているところで、親戚など4家族で暮らしているそうです。

今回、サウジアラビアを訪問して、中東が大きく変わっていることを実感しました。何かともめ事の多い中東において、サウジアラビアがカギを握る存在であることは間違いありません。特にムハンマド皇太子が権力を握って前代未聞の改革を進めている現在、サウジアラビアの外交的な動きにも関心が集まっています。

第5章

世界はイスラム世界とどう付き合うか？

――アメリカ、中国、ロシア、日本の立場を知る

◉サウジアラビアがイスラエルに接近

ハマスがイスラエルを大規模攻撃した背景には、パレスチナをめぐる土地争いがあったことは既に述べた通りです。そのほかに、イスラム世界の視点で見ればこんな理由もあったといわれています。

中東の国々の多くはイスラム教を信じるアラブ人の国です。本来、パレスチナ人の仲間のはずなのに、イスラエルと仲良くなり始めました。２０２０年、アラブ首長国連邦（ＵＡＥ）がイスラエルと国交を正常化。バーレーン、モロッコ、スーダンも相次いでイスラエルとの関係を改善しています。

イスラエルはＩＴなど最先端の技術に強みを持ち、順調に経済発展を続けてきました。これを見たアラブ諸国は、イスラエルと経済的な結び付きを強めた方が自国の発展に有利になると考え、イスラエルに接近したというのが真相です。

しかしこれは、パレスチナ人からすると不愉快な動きです。アラブ諸国はみんな自分の味方だと思っていたのに、敵のイスラエルと手を結ぶなんて裏切りではないかと

サウジアラビアがイスラエルに接近

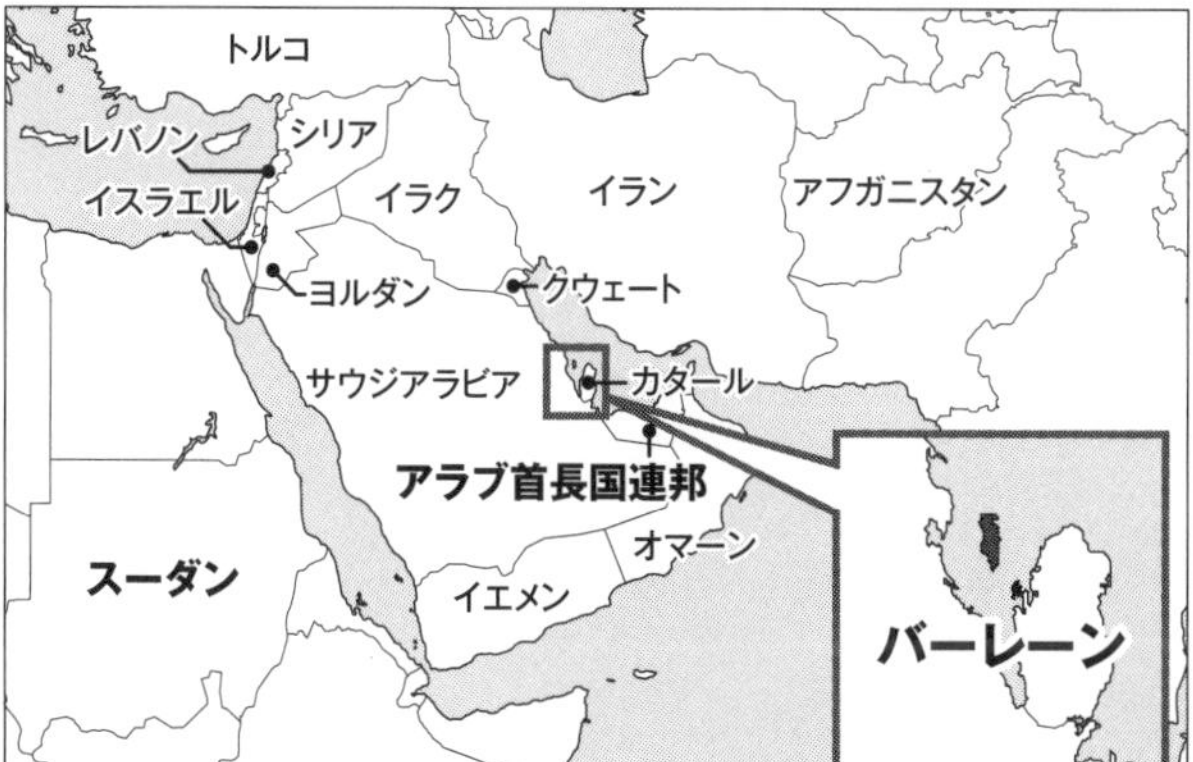

彼らは考えました。

そうしたところへ、アラブ諸国のリーダーであるサウジアラビアまでイスラエルと国交正常化するかもしれないという話が伝わってきました。

もし本当に両国が国交正常化したら、パレスチナは孤立し、パレスチナ問題は忘れ去られてしまうかもしれない。そこで、焦りを深めたハマスが、この動きを粉砕するために先制攻撃を仕掛けたのではないか。こういう見方が出ています。

事実、サウジアラビアはイスラエルとの国交正常化交渉を凍結してしまいました。このまま国交正常化が頓挫《とんざ》すれば、ハマスの狙い通りということになります。

●サウジアラビアとイスラエルを仲介したアメリカの狙いとは

イスラエルとアラブ諸国の国交正常化交渉は、アメリカが仲介しました。アメリカはイスラエルと非常に仲が良く、同盟関係にあります。サウジアラビアとも石油を買ったり、兵器を大量に売ったりと、良好な関係を維持してきました。それぞれと関係がいいので、仲を取り持ちやすい立場にあったのがアメリカです。この立

中東での影響力を強める中国

2023年3月
サウジアラビアとイランが国交正常化

場を利用してイスラエルとサウジアラビアの関係を改善させ、イスラエルを敵視するイランやハマスを孤立させよう。アメリカはこう考えて両国の国交正常化を働きかけてきました。

アメリカが仲介に動いたのは、もう一つ理由があります。最近、中東で影響力を増している国を牽制《けんせい》する狙いがあったのですが、どこだと思いますか？

経済力と軍事力で世界の大国となった中国です。この中国が２０２３年３月、サウジアラビアとイランの国交正常化を仲介しました。

もともとサウジアラビア（スンニ派）

とイラン（シーア派）は犬猿の仲で、それがいろいろなもめ事の原因になってきました。アメリカはイランとは敵対関係にあるため、とてもイランとは交渉できません。その隙《すき》をついて中国がサウジアラビアとイランの関係改善を働きかけたのです。

中東で中国の影響力が強くなり、その分、アメリカの影響力は弱まってしまいました。なんとか巻き返しを図ろうと、サウジアラビアとイスラエルの国交正常化に動いたのがアメリカのバイデン政権です。アラブ世界の盟主であるサウジアラビアとイスラエルが仲良くなれば、まだ国交を正常化していない他のアラブ諸国もそれに続き、イスラエルを敵とみなすイランやハマスは動きにくくなるはずです。

中東イスラム世界は安定に向かい、大統領選挙に向けて大きな外交成果にもなるということでアメリカの期待は大きかったのですが、ハマスの先制攻撃でその努力は水の泡と化しました。

●なぜアメリカはイスラエルの味方？

23年10月7日にハマスがイスラエルを先制攻撃した直後、国際社会がどう反応した

ハマスVSイスラエル、国際社会の反応は？

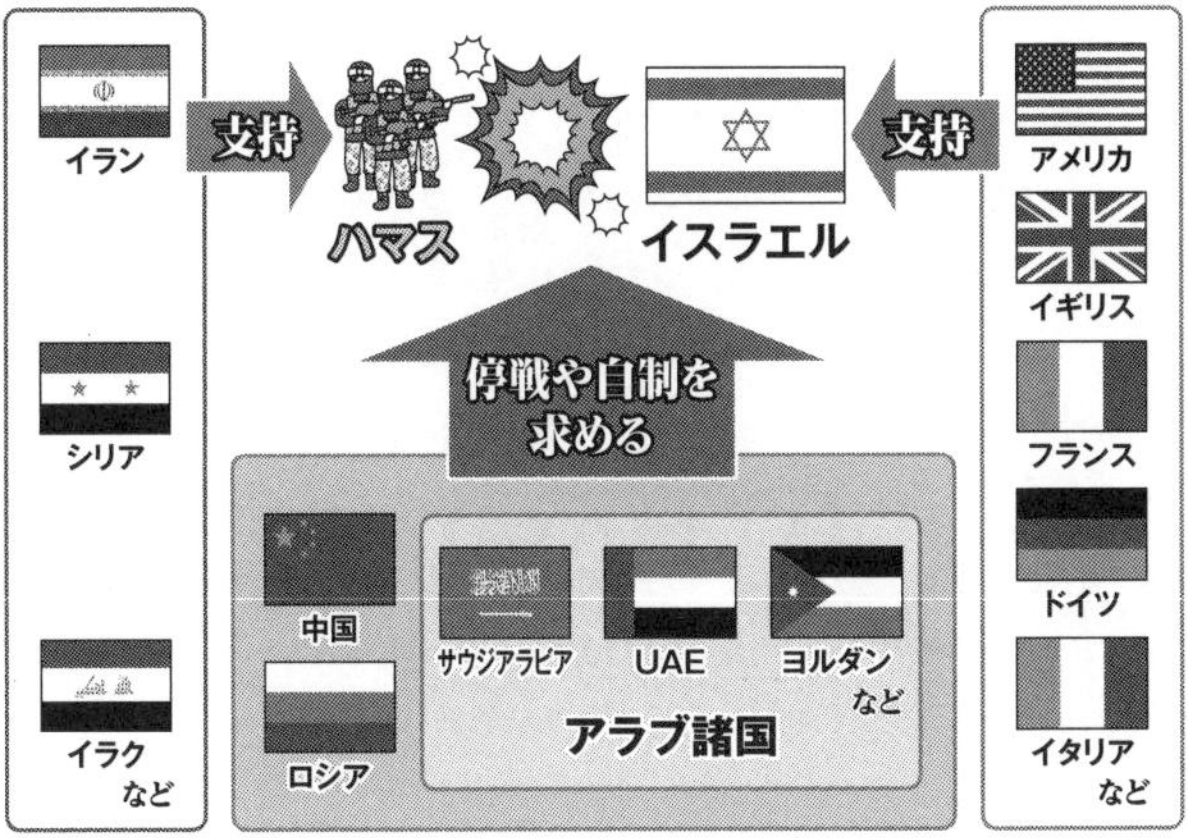

のか見てみましょう。

イスラエルを支持したのはアメリカ、イギリス、フランス、ドイツ、イタリアなどの欧米諸国です。一方、ハマスを支持したのがシリア、イラクなどのアラブ諸国とイランです。

中立の立場を取った国も多く、ロシア、中国、サウジアラビア、アラブ首長国連邦（UAE）、ヨルダンなどは双方に停戦や自制を求めました。

UAEやヨルダンは既にイスラエルと国交を結んでおり、サウジアラビアも国交正常化交渉をしていたので（のちに交渉凍結）、ハマスとは距離を置いたと考

なぜアメリカはイスラエルの味方？

出典：米連邦議会調査局報告書2023年3月1日

えられます。

欧米の国々は基本的にどこもイスラエル支持ですが、特に強力に支持しているのがアメリカです。

テロ攻撃を受けたのだから反撃する権利は認めなければいけないというのがアメリカの基本的立場です。アメリカとイスラエルの結び付きについては第3章でも解説しました。

支援は今に始まったことではなく、昔からたくさんのお金を出してイスラエルを支援してきたのがアメリカです。1948年のイスラエル建国以来、アメリカが行った軍事支援・経済支援の総額は約

アメリカとイスラエルのユダヤ人人口

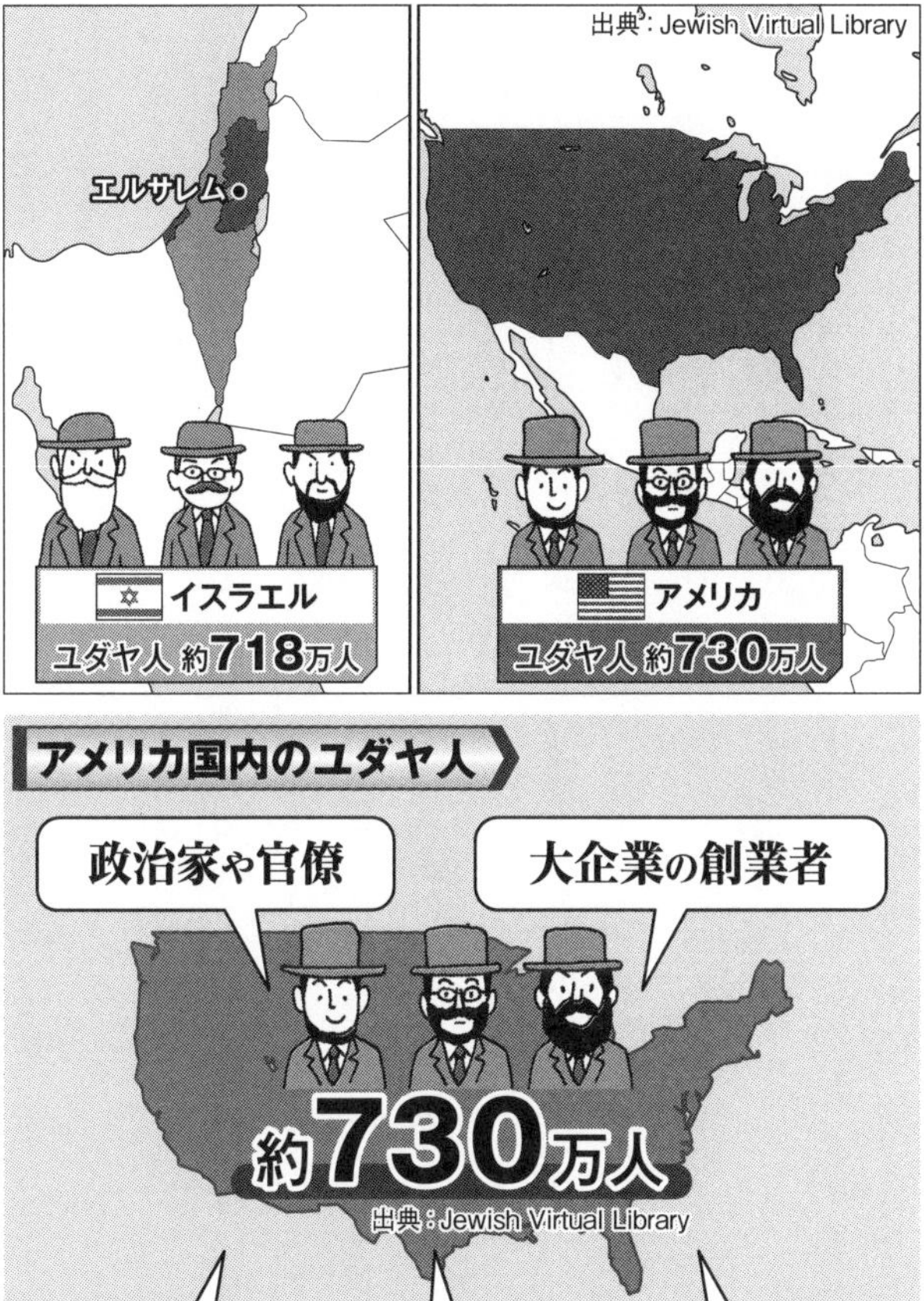

23兆8600億円に達しました（出典：米連邦議会調査局報告書23年3月1日、23年11月初めの為替レートで換算）。

でも、遠く離れた外国に、なぜここまで味方するのでしょうか。

これはアメリカ国内にイスラエルを支持するユダヤ人が多いからです。アメリカのユダヤ人は約730万人。これはイスラエルのユダヤ人人口約718万に匹敵する人数です。しかも彼らの多くは政治家や官僚、大企業の創業者・トップ、芸術家などであり、金融業界、新聞・テレビなどのマスコミ界にもユダヤ人が多くいて、世論や政府に強い影響力を持っています。

さらに、ユダヤ人以外にもイスラエルを支持する人が大勢いるのです。

それがキリスト教福音派です。キリスト教は大きくローマ教皇を頂点とするカトリックと、宗教改革の流れを汲むプロテスタントに分かれていて、プロテスタントには様々な宗派があるのですが、中でも有力なのが福音派です。

福音派の信徒数はアメリカ国民の約4分の1に上るともいわれ、政治家にとって彼らの意向は無視できません。

イスラエル支持の福音派は無視できない存在

キリスト教　福音派
イスラエルは神がユダヤ人に与えた土地
アメリカ国民の約4分の1
神
「ユダヤ人にカナンの地を与えた」
旧約聖書

『聖書』に書かれていることは一字一句全て真実だと考えるのが福音派の人たちです。旧約聖書には神様がユダヤ人にカナンの地を与えたと書かれていて、福音派にとってこの記述はとても重いものです。

カナンの地とは、現在イスラエルが存在している辺り、すなわちパレスチナ地方のこと。つまり、神様がユダヤ人にパレスチナ地方を与えたと『聖書』に書いてあるのだから、その土地に建国されたユダヤ人の国イスラエルを助けるのは当然ではないか。イスラエルを守らなければならない。そう考えるキリスト教福音派がアメリカ国民の4分の1もいるわけです。

となると、政治家はそういうイスラエル支持派の票を獲得しないことには、選挙になかなか勝てないということになります。

結局、アメリカにとってイスラエルの問題は国内問題でもあるのです。ウクライナを支援するかどうかについてはアメリカ国内でもいろいろな議論がありますが、イスラエルへの支援に関しては、党派を超えてかなりの程度の一致が見られます。

◉国際社会が反発してもイスラエルは攻撃を続けた

イスラエル軍のガザ地上侵攻は、イスラエルから見れば正当な自衛権の行使です。欧米諸国の支持を背景にして、イスラエル軍はハマスの潜むガザ地区に報復攻撃を続けました。

ところが、住宅、病院、学校などが容赦なく攻撃された結果、民間人の死傷者の数が膨れ上がり、ガザの人々は家を追われて行き場を失い、食料品や医薬品の不足による人道危機が発生するに及んで、イスラエルへの国際的な非難が急速に高まりました。

アラブ諸国の一般市民には、もともと「ハマスは正当な抵抗運動」と考える人も多く、アラブ諸国はイスラエルに一刻も早い停戦を要求。アメリカ国内でも、若い人たちやアラブ系移民を中心にイスラエルとイスラエルを支持するバイデン政権への抗議活動が激しくなりました。

アメリカ政府は「民間人に被害が及ばないように注意を払うべき」と再三イスラエル政府に警告しましたが、イスラエル側が効果的な対策を取ったかどうかははっきりしません。

24年3月25日、国連の安全保障理事会で「ラマダン期間中の即時停戦を求める決議案」が採決にかけられました。ラマダンはイスラム教の断食月のことでしたね。24年のラマダンは3月11日頃から4月9日頃まで（出典：外務省）。決議案には常任理事国と非常任理事国を合わせた15カ国中14カ国が賛成し、アメリカは棄権しました。アメリカが拒否権を行使せず棄権にとどめたため、決議は採択されています。

アメリカが拒否権を行使しなかったのは、それだけ国際社会の反発が強く、アメリカ国内でも「イスラエルの報復攻撃は支持できない」という声が高まったためです。国際社会から「行き過ぎだ。一刻も早く停戦すべきだ」と批判され、頼みの綱のアメリカからもたびたび警告を受けたにもかかわらず、なぜイスラエルは攻撃をやめないのでしょうか。なぜ民間人が死傷するのを承知で地上作戦を行うのでしょうか。

イスラエルには戦闘を続ける言い分があるのです。ハマスが突如、まるで集中豪雨のようにロケット弾を撃ち込み、残虐な仕方で大勢の無抵抗の住民を殺害したこと、人質を連れ去って一向に解放しないこと、仮に停戦したとしてもいつまた攻撃してく

イスラエルが戦闘を続ける理由

戦争をやめない
停戦には応じない
イスラエル ネタニヤフ首相
ユダヤ人を根絶やしにしようとしている
ユダヤ人の存続をかけた戦い

写真：ロイター／共同

るかわからないこと、などです。これではやめるにやめられないというわけです。

さらに重要なのは、イスラエルにとっては、国家としての戦いというよりも、ユダヤ人の存続をかけた戦いという思いがあることです。

ハマスは、組織の指針で「ユダヤ人の国を作りたいユダヤ人」が攻撃の対象だという言い方をしています。彼らはイスラエルという国を認めないだけでなく、国を作りたいと願うユダヤ人そのものの殲滅《せんめつ》を狙っているようにすら見えます。

実際、ハマスの奇襲攻撃により、短時間のうちに約1200人が命を奪われました。イスラエル国内では、亡くなった人たちの画像や映像を次々に公開しています。おしめをつけたまま殺された赤ちゃんの写真や焼き殺された人の映像など、目をそむけたくなるようなものばかりです。

ハマスの戦闘員は襲撃したときにカメラを持っていて、自分たちが何人の人を殺したか、どうやって殺したかを、動画で克明に撮影していました。その動画の一部をイスラエルが手に入れて公開しています。

その中には、家に押し入った戦闘員がまず父親を殺し、父親を殺されて泣き叫んでいる子どもの横で、別の戦闘員がその家の冷蔵庫を開けてコーラを飲んでいる、というような凄惨《せいさん》な映像があるのです。

そういう写真や動画を見たイスラエルの人たちが、「これはイスラエルに対する攻撃ではない。ユダヤ人を根絶やしにしようとしているんだ」と受け取るのは無理もないことです。

ハマスに対する反撃がユダヤ人存続のための戦いだとすると、これはもはやイスラエルとハマスの生死をかけた戦いです。イスラエルとすれば、ハマスを壊滅に追い込むまではやめられない。となると、この戦闘はなかなか終わりそうもありません。

●中東は危険？ 平和で安全な国も多い

何かともめ事が多いため、中東は非常に危険な地域というイメージを持つ人が多いようです。でも、全て危険というわけではなく、平和で安全な国もあるということが見落とされています。

外務省が発表している海外の危険情報に基づいて、中東で危険レベル3以上の国と

外務省　危険レベル３以上の国・地域

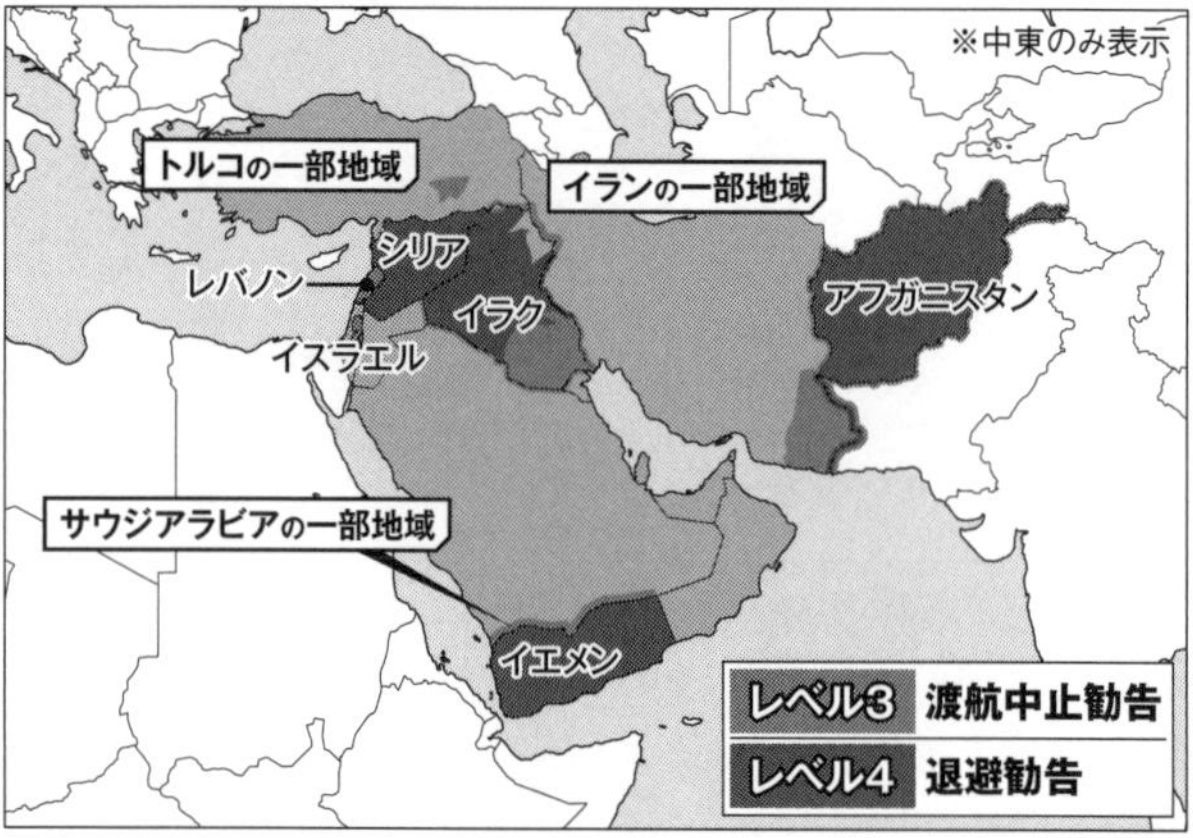

地域を地図にまとめました（24年3月現在）。

ご覧のように、確かに危険なところ、もめているところはありますが、広い中東の中で言えば、一部の地域だけですよね。

ちなみに外務省の分類によると、中東に含まれるのはアラビア半島の国々、イスラエルとパレスチナ自治区のほか、イラン、イラクなどにトルコ、アフガニスタンも加えた16の国・地域です。

オーストラリアの研究所が「世界平和度指数」という人々が安心して暮らせるかどうかを調査したランキングを公表し

外務省の分類による中東の16カ国・地域

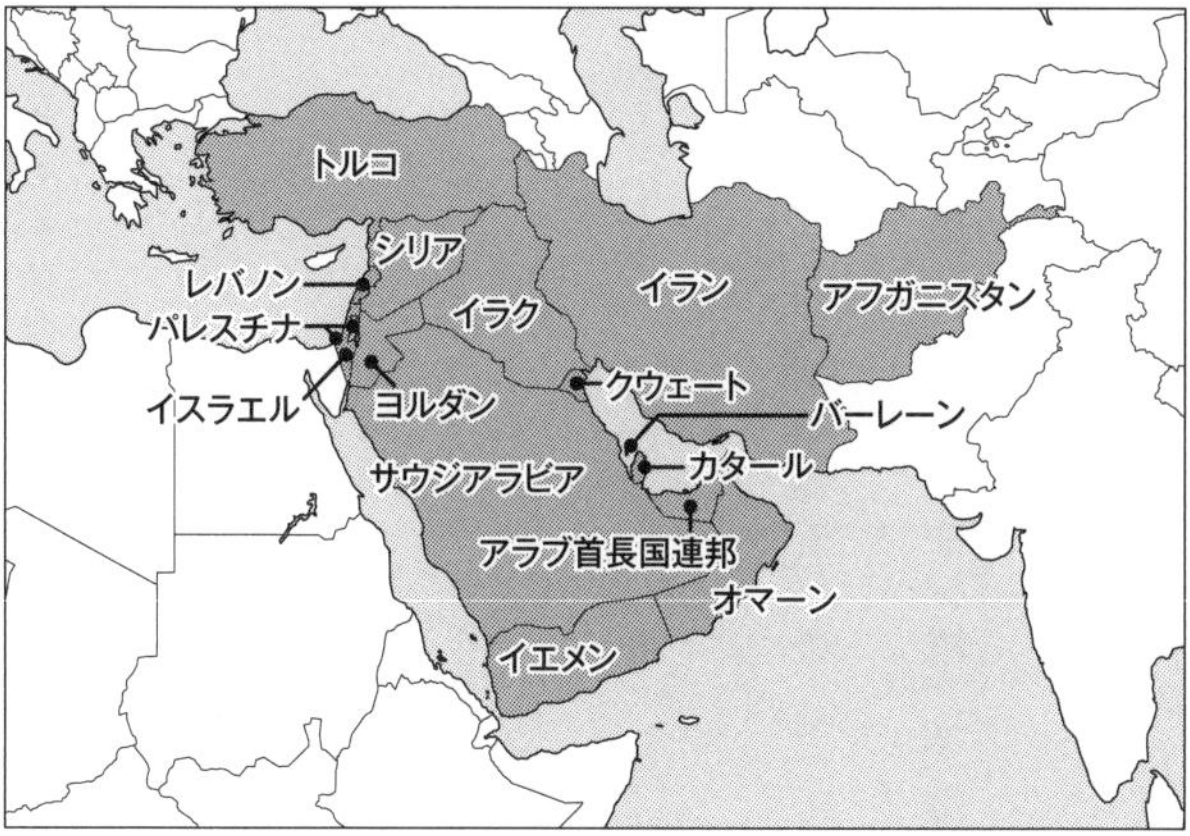

世界平和度指数

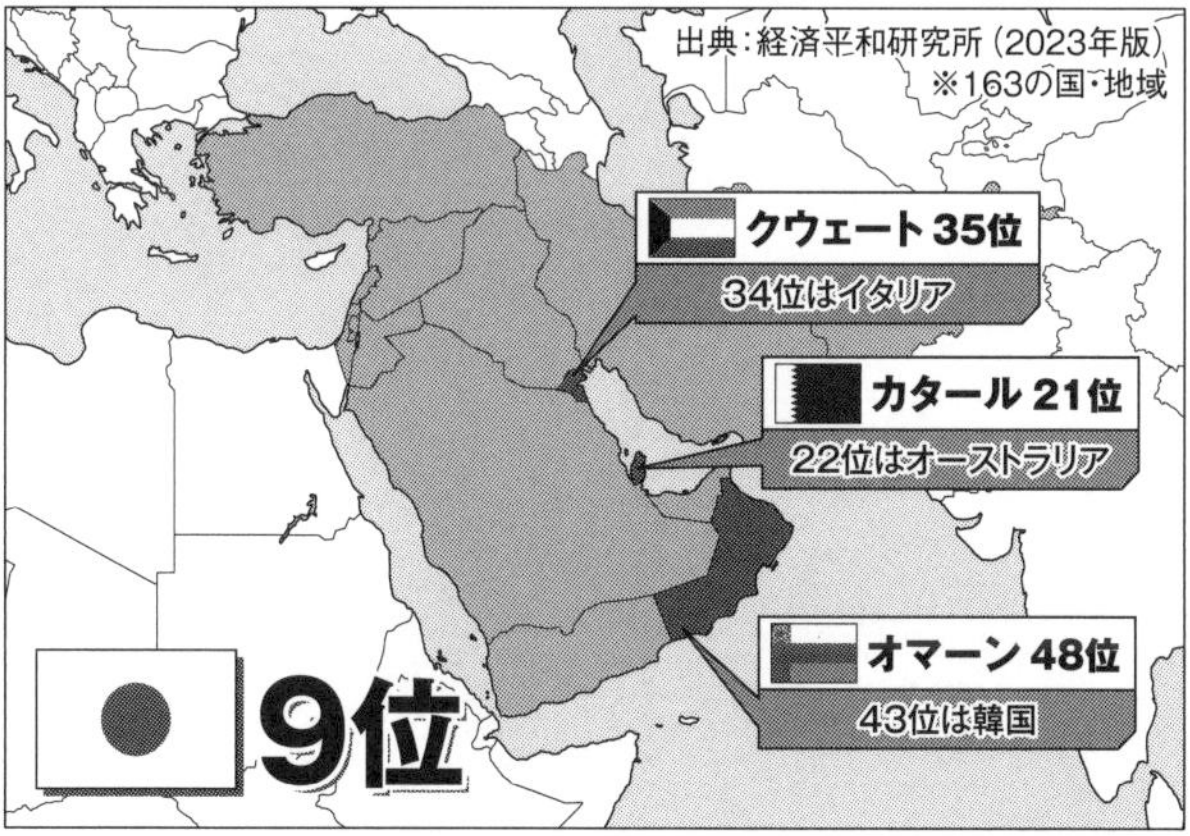

ました。それによると、日本は163の国・地域の中で9位。中東の国では、クウェートが35位です。イタリアが34位なのでイタリアとほぼ同じ。カタールは21位で22位のオーストラリアよりも上です。オマーンは48位。43位の韓国とほぼ並びました。

こうしてみると、中東イスラム諸国は決して危険な国ばかりではないことがわかります。

では、なぜ中東は危険というイメージになるかというと、やはり日本から遠く離れているからです。

遠い国のことは、普段なかなかニュースになりません。戦争が起きた、内戦が始まったという時にニュースになるだけで、それ以外はほとんどニュースにならない。そのため、実態以上に怖がってしまうのです。

●もめ事の背後にいるイランは、実は親日!?

平和で安定した国、観光客でにぎわう国がある一方、イスラエルとパレスチナ自治区のように大きなもめ事になった国・地域もあります。実は中東イスラム世界のもめ

中東のもめ事の多くにイランが関係

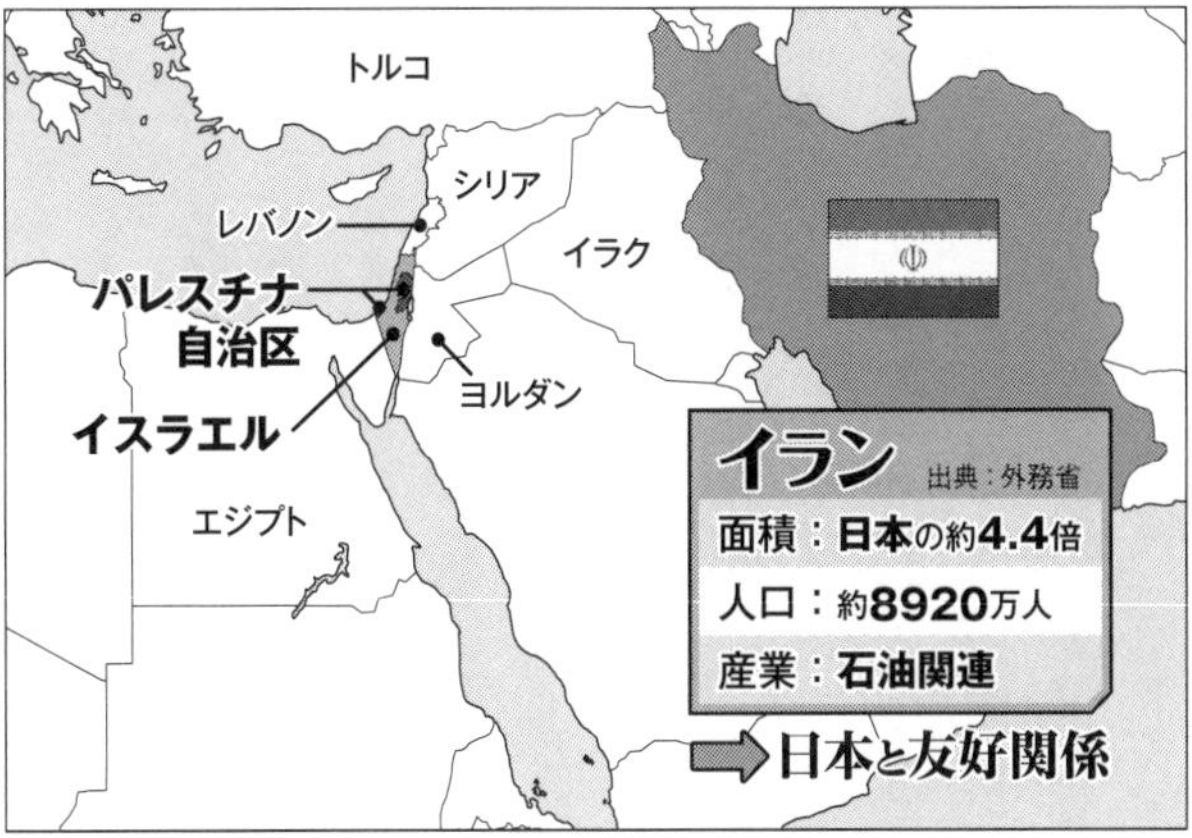

事の多くにはある国が深く関わっているのですが、どこだと思いますか?

大国イランです。周辺で様々なもめ事が起きていますが、多くの場合、その背後にはイランが存在しているといわれています。

イランと言えば、年配の方は、1990年前後に日本各地でイラン人を大勢見かけたことを覚えていませんか。

日曜日になると、東京の代々木公園や上野公園はイラン人だらけになり、ニュースにもなりました。当時の日本はバブル景気まっただ中。人手不足から、出稼ぎで来日したイラン人たちが各地の工事現場で働いていました。

そこで稼いでイランに帰って大成功した人たちは、みんな日本に親近感を持っています。このためイランには親日の人がとても多いのです。

イランの親日には、テレビドラマ「おしん」（NHKの朝の連続テレビ小説。日本では1983年に放映された）の影響もあります。このドラマはイランでも放映されて大ヒット。最高視聴率は90パーセントに達したそうです。イランに行って「日本から来ました」と言うと、『おしん』を知ってるか？」と聞かれます。また現地のイラン人の口からは日本のいろいろな地名が出てきます。

そのイランは石油の産出国で、面積は日本の約4・4倍、人口約8900万人と中東では一番人口が多い国です。たとえば、アラブ首長国連邦（UAE）の人口が約1000万人、サウジアラビアでも約3200万人ですから、8900万人がいかに多いかわかると思います。

民族はペルシャ人で、中東イスラム世界に多いアラブ人ではありません。宗教は前にも述べたようにイスラム教のシーア派です。イスラム教の中では少数派でも、イランはシーア派のリーダー的存在。広大な国土を持ち、人口も多く、周りの国から見れば大きな存在感のある国なのです。

◉イランはなぜ中東で力を持っているのか？

民族も宗教も少数派なのに、なぜイランは中東で力を持っているのでしょうか。それはこの地域でもめ事を起こしてきた過激派勢力を支援しているからです。

第3章で解説したように、イランはパレスチナ自治区のハマスやレバノン南部に拠点を置くヒズボラを支援しているほか、シリアやイラクの民兵組織も支援しています。この民兵組織はイランと同じシーア派に属する勢力です。

さらにイランは、イエメンのイスラム教フーシ派の武装組織にもお金や武器を支援しています。フーシ派は、イスラエルがハマスへの攻撃をやめない限り、イスラエルに関係する船は片っ端から攻撃すると宣言し、実際、多くの船舶が標的にされました。

運悪く、日本企業がチャーターした自動車運搬船もフーシ派によって拿捕《だほ》されました。この船はイエメンに曳航《えいこう》されて、現在観光施設になっています。見学ツアーの料金は一グループにつき約１５０円。自動車の運搬船ですから広々とした甲板があり、大勢のイエメン市民が船内や甲板で遊んでいるそうです。ちなみに、参加者は男性のみに限られているようです。

こうやって、いろいろな武装組織を裏で操り、支援して、中東で多くのもめ事を起こさせているのがイランなのです。

イランの援助資金の出所は、もちろん石油です。豊富な埋蔵量を誇る石油を売って得た収入の一部がこれら武装勢力の支援に使われています。

ただし、イランと対立するアメリカが世界各国にイランの石油を買わないように働きかけているため、イランの財政事情は厳しいといわれています。日本も本当はイランから石油を買いたいのですが、アメリカの目が光っていて買えません。

代わりに、アメリカの言うことを聞かない中国などがたくさん石油を買ってイランを助けています。

イランは中東の複数の武装組織に支援

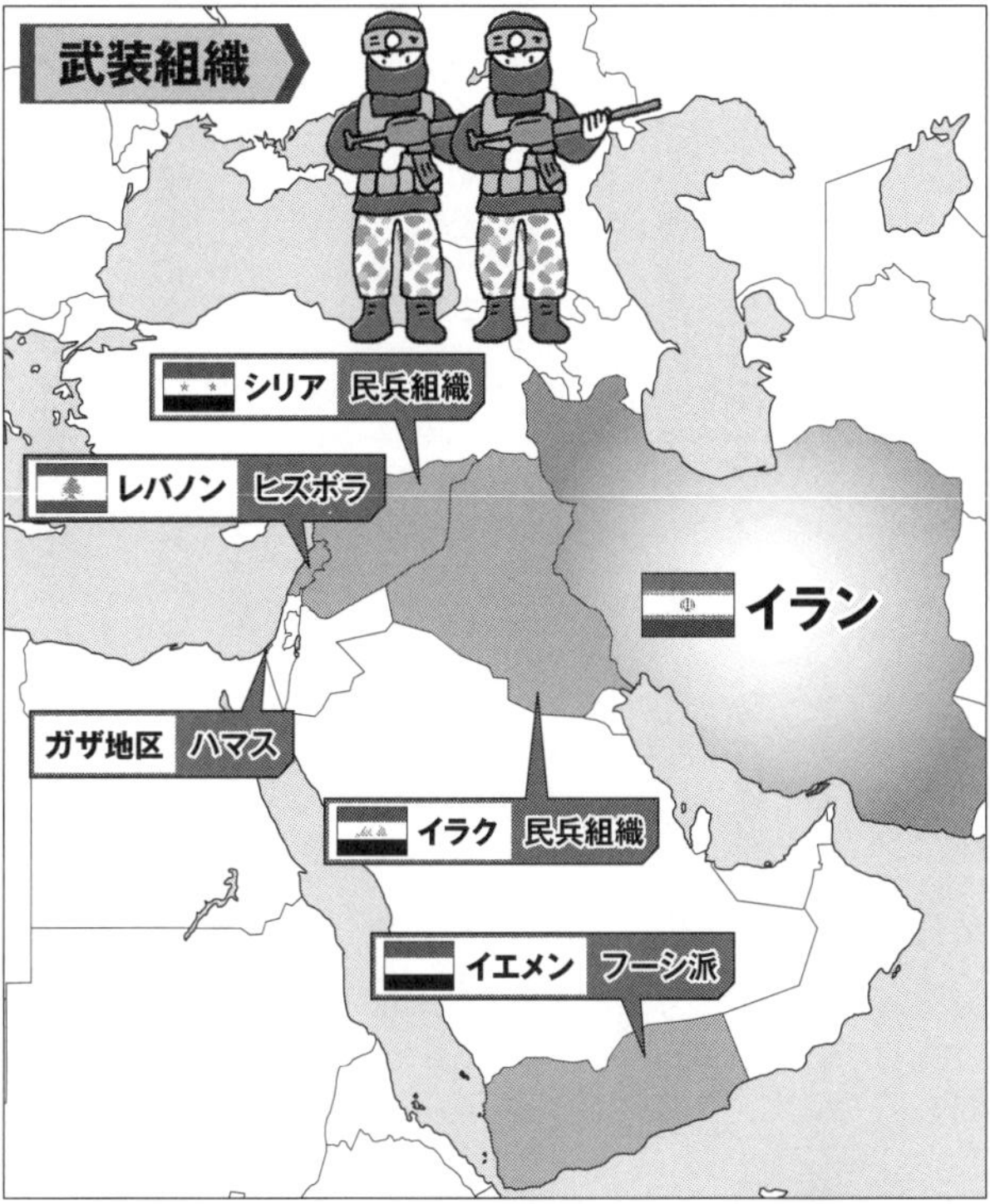

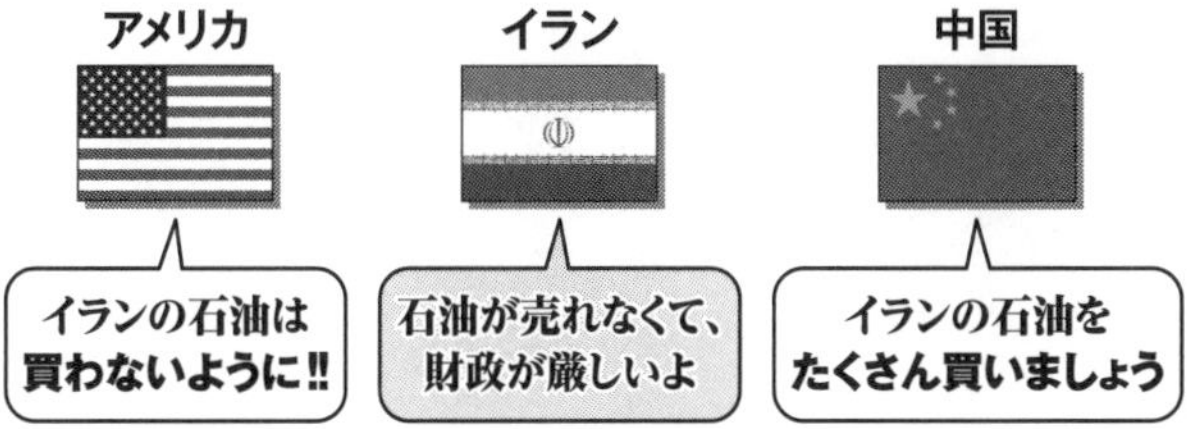

◉イランは各地の武装組織を支援して何がしたいの？

各地の武装勢力にお金をつぎ込んで、そもそもイランは何がしたいのでしょうか。目的は打倒アメリカ、打倒イスラエルです。

意外に思う人がいるかもしれませんが、もともとイランは親米の国でした。パーレビ国王（パフラヴィー2世　1941〜79年在位）が親米で、石油の利権を守るためもあってアメリカが無理やり親米の国にしてしまった過去があります。同時に1948年に建国されたイスラエルとも、同じくアメリカの支援を受けていたことから関係が良好で、諜報《ちょうほう》でも協力していました。

しかし、国王が極端にアメリカ寄りの独裁政治を行ったため、国民が反発して1979年に革命（イラン革命〈イスラム共和主義革命〉）が勃発《ぼっぱつ》しました。

国王はイランを脱出し、数カ国を転々としたのちアメリカに亡命します。これに怒ったのがイラン国民です。国王を保護したアメリカに抗議して、首都テヘランのアメリカ大使館を440日以上にわたって占拠。アメリカ人外交官やその家族らを人質と

パフラヴィー朝の崩壊とイスラム共和主義革命

イスラエルの選手との対戦は棄権

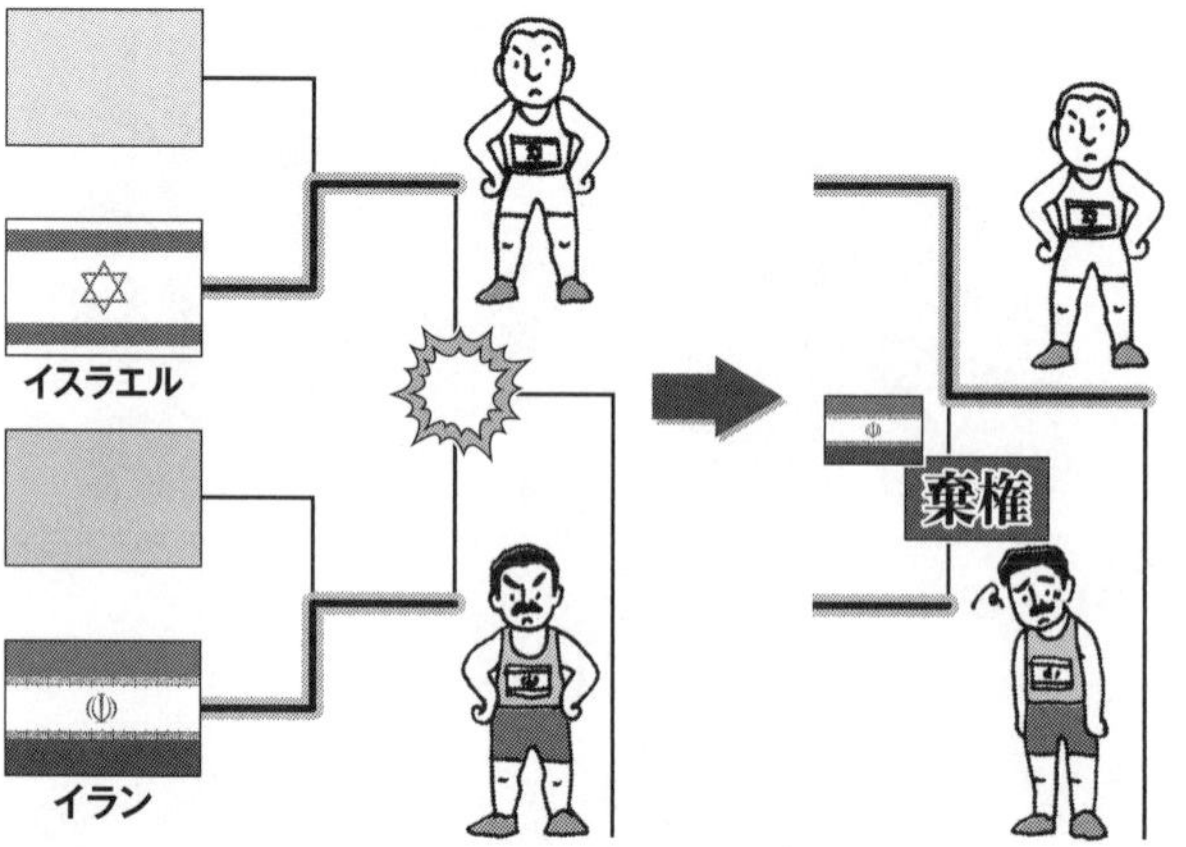

して拘束しました。

この事件を機にイランは反米の姿勢を鮮明にしていきます。そして、アメリカもイランを毛嫌いするようになり、イランに対して経済制裁を科し、それが今日までずっと続いているわけです。また、それまで共に親米で関係が良好だったイスラエルについても、イランの革命体制は、イスラム教の聖地を占領した敵とみなし、国家として承認していません。イスラエルという国ができたことにより、そこに住んでいたパレスチナ人が難民となってしまったことへの反発や怒りがあるからです。イランの世界地図にイスラ

イスラエル選手と接触したら？

イランのあらゆる競技から永久追放

エルという国名は無く、パレスチナと書かれています。イランはイスラエルをパレスチナの地から追放したいと考えています。

イランのイスラエルへの敵意にはすさまじいものがあり、ここまでやるのかと思うほど。それがよく表れているのがスポーツです。

イランの選手はイスラエルの選手との接触を禁じられているのです。しかし、スポーツである以上、成り行き次第でイスラエルの選手が対戦相手になることは当然あり得ます。そうなった場合は、イランの選手は棄権するのが一般的です。

試合で対戦はしなかったけれども、場外でイスラエルの選手と接触してしまった。こんな場合はどうなると思いますか？

23年8月、イランの重量挙げの選手がうっかりイスラエルの選手と握手してしまいました。その選手は後日、イランのあらゆる競技から永久追放されたそうです。

イスラエルはアメリカと仲が良く、イスラエルの兵器や軍事部門はアメリカの莫大な援助なしには成り立ちません。そういう両国（イスラエルとアメリカ）は、イランから見れば共に敵であり、打倒の対象です。

そこでイランは、同じように反イスラエルと反米を掲げる各地の武装組織を支援して、それらの組織に様々なもめ事を起こさせ、両国を窮地《きゅうち》に陥れてやろうと考えているのです。

◉イランの軍事支援とはどういうものか？

イランの軍事支援について、ハマスを例に考えてみましょう。

ハマスの軍事部門の拠点はガザ地区にあります。高い分離壁で封鎖されたガザ地区

イランからガザ地区への密輸方法

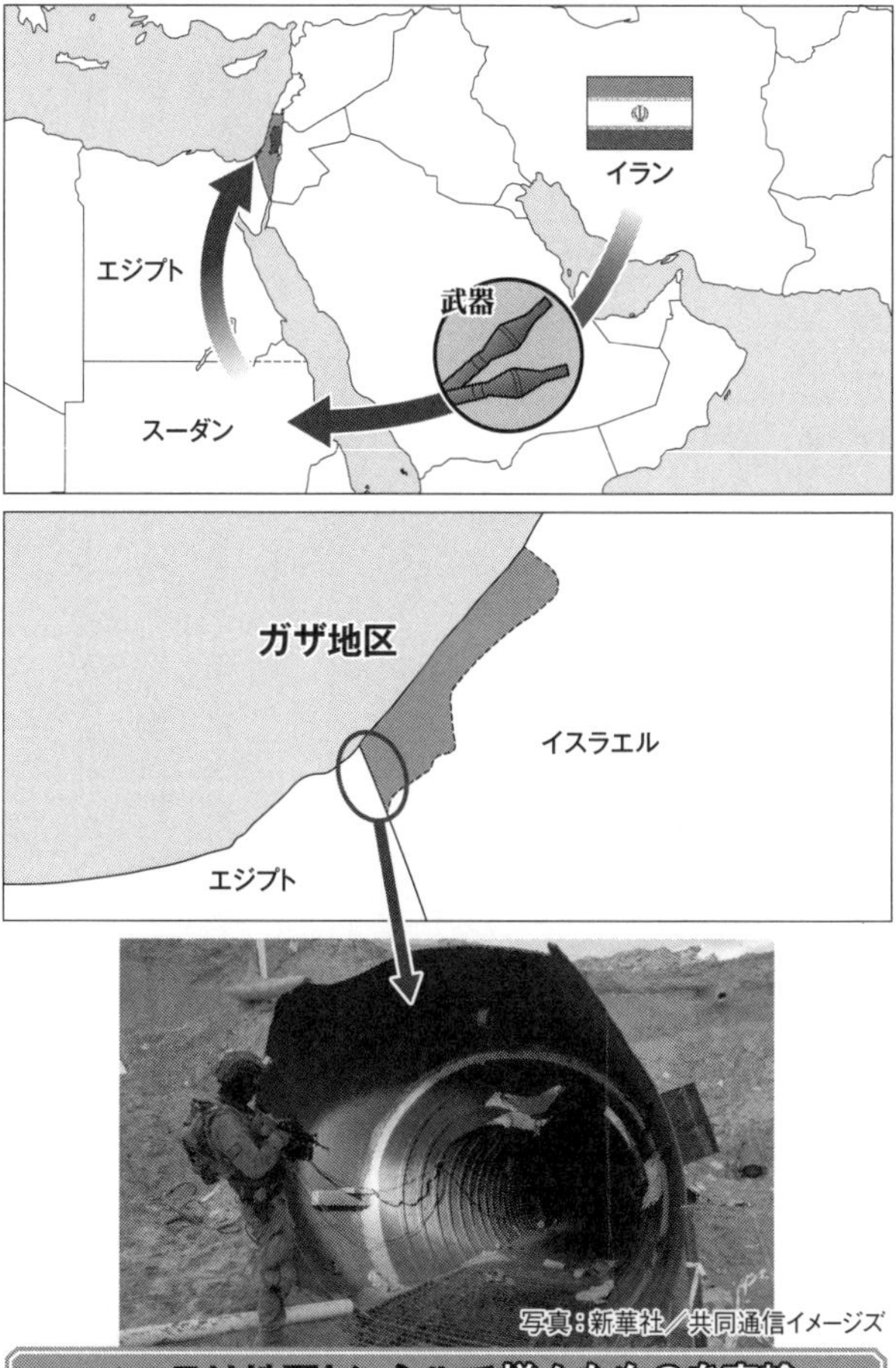

写真：新華社／共同通信イメージズ

ハマスは地下トンネルで様々なものを密輸

に、イランがどうやって武器を持ち込んだのか不思議ですよね。

一つのやり方は地下トンネルです。まずイランからスーダンにこっそり武器を運び、そこから陸路エジプトに入ります。ガザ地区に近接する一帯は砂漠ですから、その気になれば見つからないように物を運ぶのはそれほど難しくありません。問題は封鎖されているエジプトとガザ地区の境界です。

陸路で境界を越えるのは不可能なので、ハマスは地下トンネルを掘り、ここからガザ地区に武器をはじめ様々な物資を送り込んできました。

しかし、ある時点でこのやり方は察知され、イスラエルは地下トンネルを見つけては一つ一つつぶしていきました。こうなると、このルートは難しくなります。

そこでイランとハマスが考えた方法が、武器の作り方を教えるというやり方です。ロケット弾の作り方を、インターネットを使って教えます。ネット経由で設計図を伝えることもしています。

このとき、作り方は学べても材料がないとロケット弾は作れません。材料の金属はどうやって手に入れたのでしょうか。

武器の作り方をネット経由で伝える

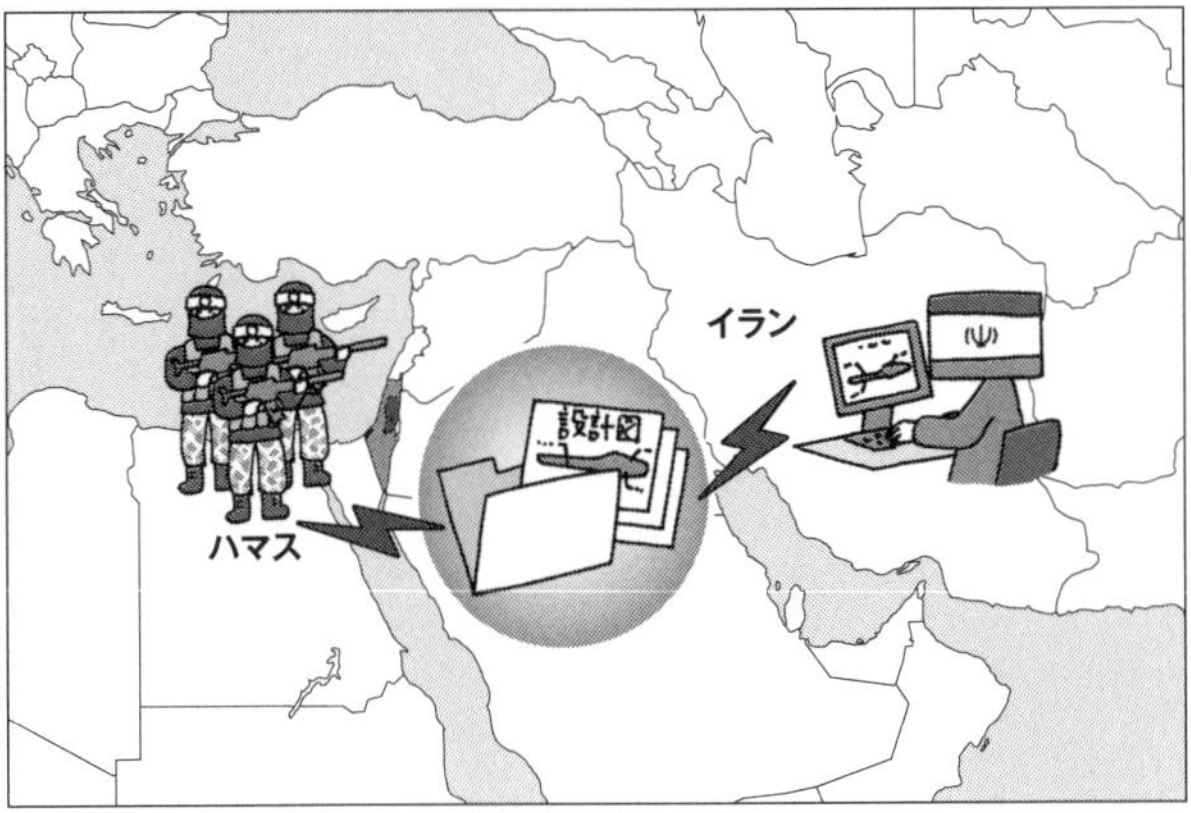

ハマスはイスラエル側から手に入れたと思われます。というのは、イスラエルもこれまでガザ地区などへミサイルやロケット弾などで攻撃したり、空襲して爆弾を落としたりしてきました。ハマスはそれらの残骸《ざんがい》から金属の破片を集めてリサイクルし、武器製造の材料にしました。

さらに、ビルが破壊されてしまったらその鉄筋を使う、金属の缶を使うなど、使えるものは何でも使って、いわば手作りで大量のロケット弾を作ったのです。完成したロケット弾は密かに地下トンネル内に隠しておいて、今回それを撃ち込んだのだろうと見られています。

実は、ハマスは北朝鮮からも武器の提供を受けていました。ハマスがイスラエルを攻撃したとき、大量の武器を残していったのですが、その中から北朝鮮製の武器が結構見つかっています。襲撃された地域の軍需品を回収したイスラエル軍幹部によると、約10パーセントが北朝鮮製ではないかということです。

北朝鮮の武器がガザ地区のハマスのところまで運ばれていたわけで、これには驚かされますね。

●欧米のイスラエル寄りの国は「戦争」と呼ぶ!!

イスラエルとハマスの争いは、日本のニュースでは戦争とは呼びません。武力衝突、戦闘、争いなどと言うのが普通です。しかし、当事国のイスラエルは、ハマスとの戦いを「戦争状態」と表現しています。イスラエルの憲法に相当する「イスラエル基本法」内の「政府」の項目には、「国家は政府の決定に従って戦争を開始することができる」という規定があり、この基本法に則って戦争状態、要するに戦争だと宣言しています。

紛争が拡大しないよう抑止力としての役割

写真：ABACA／共同通信イメージズ

ただ、ハマスは武装組織であって国家ではないので、国際法上の戦争と言うのは無理があります。根拠が不明なため日本は戦争とは言わないのですが、欧米のイスラエル寄りの国はみんな戦争と言っています。

問題はこの争いが拡大して、国と国が直接戦う戦争、たとえばイランとイスラエルが戦う本物の戦争になるかどうかです。もし両国間の戦争に発展したら、第三次世界大戦の引き金を引くことにもなりかねません。そんなことは誰も望んでいないので、アメリカは絶対にイランとの戦争にならないように、一時は地中海にアメリカ軍の空母2隻を派遣しました。

空母が2隻あれば、アメリカは相当大規模な戦争ができます。いつでもイランと戦争ができるんだぞという態勢を取ってイランを牽制《けんせい》しました。そういう意味では一触即発の状態が続いているとも言えます。

しかし、中東はよほどのことがない限り、戦争にはなりにくい世界です。中東で強力な軍事力を持っているのはイスラエルとイラン、それにトルコぐらいしかなく、イスラエルにしても、ハマスと戦いながらヒズボラを相手にするだけで精一杯で、その上さらにイランと戦争するような余力はありません。

イランもまた、イスラエルと戦争すれば、その同盟国であるアメリカから間違いなく全面的な攻撃を受けます。甚大な被害を覚悟してまで、イランがイスラエルと戦争するとは思えないのです。

確かに、イランはいくつもの武装勢力を支援していますが、その背後で各組織をコントロールして、「本格的な戦争にならない程度にしておけ」と手綱《たづな》を締《し》めていると考えられます。

イスラエルを痛めつけるために攻撃はさせるけれども、イラン自身は戦争までする気はないのです。

●「イランにモノを言える国」中国が影響力拡大

イスラエルとハマスの今回の争いで生じた国際関係をざっくり図にまとめました。(次ページ)

イスラエルとハマスの武力衝突にシーア派の武装組織ヒズボラが参戦し、二つの武装組織を支援するのが同じイスラム教のイランです。一方、イスラエルを支援するのがアメリカ。そして仲の悪かったイランとサウジアラビアが、中国の介入で関係を正常化しました。

本来、中東はアメリカが影響力を持っていた地域です。しかし、アメリカはサウジアラビアとは仲がいいのですが、イランとは激しく対立しています。この状況を変えられずにいるうちに、いつのまにか中国が進出してきました。

中国はサウジアラビアともイランとも関係は悪くなかったため、「この際、仲良くな

イスラエルVSハマスをめぐる国際関係

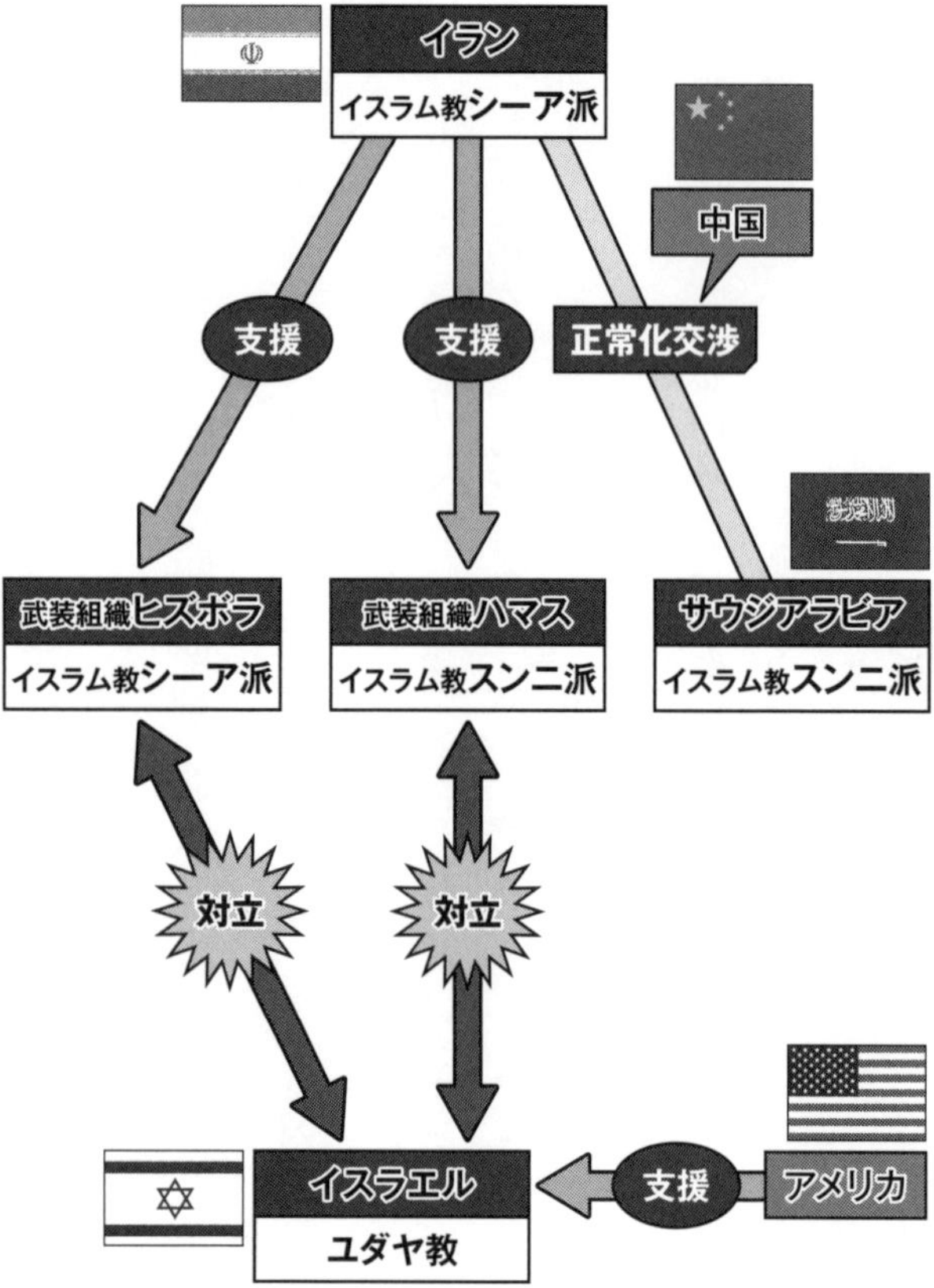

ったらどうですか」と双方に働きかけ、中国が仲介するかたちでサウジアラビアとイランの関係が正常化しました。つまり、アメリカが手をこまぬいている間に中国が中東で影響力を強めたのです。

イスラエルに対してはどうかというと、中国はこれまで関係強化に努めてきました。ＩＴ先進国のイスラエルと仲良くなることは、中国にとってもメリットがあるからです。ところが、イスラエルのガザ地区攻撃については、「自衛の範囲を超えている」という言い方で批判を始めました。

これは中国がパレスチナ寄りの姿勢を打ち出したことを意味するものです。「われわれはアメリカとは違う。アラブの国々の側に立つのだ」というメッセージです。そうやって今、中東で更なる影響力拡大を図っています。

さらに、中国は「イランにモノを言える国」として存在感を高めつつあります。どういうことかと言うと、イランには核開発をしている疑惑があり、イランは有力な石油産出国ですが、アメリカが経済制裁を科して「イランの石油を買うな」と各国に要請しているのです。繰り返しになりますが、中国はアメリカのこの要請を無視し

中東での存在感を高める中国

てイランから堂々と石油を買っています。

イランにしてみれば、中国は数少ないお得意様です。イラン経済は中国のお金で成り立っていることになり、この点に目をつけたアメリカが、中国に対してイランへの影響力を最大限使ってイランの暴発を抑えてほしいと頼むような状況が生まれています。

アメリカとしては、万が一にもイランに戦争を起こしてほしくない。ハマスやヒズボラに代わってイランが直接イスラエルを攻撃したら、アメリカは嫌でもイスラエル側に立って参戦しなければならなくなります。

イランの当局者に冷静にものを考える力があれば、イランが本格的な軍事行動を起こすとは考えにくいのですが、それでも万が一ということがあります。その万が一の事態を絶対に避けるため、アメリカは中国の力を借りざるを得ないというわけです。

中国はそういう事情をわかった上で、「イランにモノを言えるのはわが国だけだ。アメリカとは違う」とアピールしています。

●武力衝突の陰でやりたい放題のロシア!?

イスラエルとハマスの争いを見て、ほくそ笑んでいると思われる人物がいます。それがロシアのプーチン大統領です。

中東で紛争が起きると、必ずと言っていいほど石油の価格が上がります。ロシアはイラン同様、有力な石油産油国ですから、石油の価格が上がれば大いに儲《もう》かり、国家財政は安定します。ロシアは漁夫の利を得たと言っていいでしょう。

それだけではありません。ウクライナへの軍事侵攻から国際社会の目をそらす絶好のチャンスが到来したのです。

23年10月、プーチン大統領はこんなことを言っています。

「男同士で争うと決めたら子どもと女性には手を出すな」(10月11日)

「民間人に対するいかなる暴力も容認できない」(10月16日)

誰が聞いても、「どの口が言うのか。ロシアはウクライナでさんざんやってきたではないか」と言いたくなりますよね。

イスラエルとハマスの紛争、ロシアはどう見ている？

イスラエルとハマスの紛争勃発以来、ロシアやウクライナのニュースは激減してしまいました。イスラエル軍の攻撃による民間人の死亡は連日報道されて大問題になる一方、ロシア軍のミサイル攻撃で民間人が死亡しても、大して報道されなくなりました。

世間の目が中東に釘付《くぎづ》けになっている間に、ロシアはやりたい放題やっているということです。そして、ガザ地区に攻め込んだイスラエルを支持するアメリカが、ウクライナに侵攻したロシアを批判するのはダブルスタンダード（二重基準）だと批判を強めています。

●特殊な立ち位置の日本はどっちの味方？

日本は今回の問題で欧米諸国とは一線を画した対応を取っています。

イスラエルとの関係では、成田からテルアビブへの直行便が開設され、主にＩＴ分野で協力を深めてきた矢先に今回の事件が起きました。事件の直後、日本は即座にハマスの襲撃を非難し、これを「テロ攻撃」と呼んでいます。

日本はどっちの味方!?

フランス
イギリス
アメリカ
カナダ
ドイツ
イタリア
23年10月22日
日本を除くG7イスラエルの自衛権を支持
支持する
ハマスは
許せないけど
パレスチナ人は
助けたい
OIL
OIL
イスラエル
ハマス
イラン
アラブ
諸国

しかし、アメリカほど強くイスラエルを支持したわけではありません。23年10月22日に発表されたG7（主要7カ国）の共同声明は、イスラエル支持とテロに対する自衛権の支持を表明したものですが、G7の一員にもかかわらず、日本だけ参加しませんでした。

それはやはり、原油の9割をアラブ諸国から輸入している立場上、アラブ諸国を敵に回したくなかったからです。G7共同声明に参加しなくても、日本がイスラエルを支持し、イスラエルの自衛権を認めていることに変わりはありません。でも、それが目立つとアラブ諸国の機嫌を損ねてしまうので、他の6カ国とは別行動をとったのです。

ハマスは絶対に許せないけれども、パレスチナの一般の人たちは助けたいし、彼らを敵視するわけにはいかない。他方、イスラエルを支持しつつも、多数の一般住民に被害が出ていることには憂慮を表明し、イスラエルに自制を求める。日本の置かれた微妙で特殊な立場では、「一体どっちの味方なんだ」と批判されないようにうまくバランスを取って立ち回ることが必要で、これまでのところ何とかうまくやっているように見えます。

戦闘の休止を求める国連の安保理決議案（23年11月15日）は、アメリカ、イギリスが棄権する中、フランスや中国とともに賛成票を投じて成立させました。

停戦ではありませんが、一時的な戦闘休止が実現したのはその少し後です。延長期間を含む７日間の戦闘休止により、女性や子どもを中心に１００人以上の人質が解放されました。

また、テロ発生の直後、日本はガザ地区の一般住民に対して１０００万ドル、約15億円の緊急人道支援の実施を表明し、11月には６５００万ドル、約１００億円の追加的な人道支援も表明しています。

◉日本経済にも大きな影響がある！

イランが支援している勢力の中に、イエメンのフーシ派という反政府武装勢力があります。ここも反イスラエルを掲げた活動で注目を浴びました。

日本企業の自動車運搬船が乗っ取られたことは前に述べましたよね。フーシ派はイ

物流面で、日本経済にも大打撃

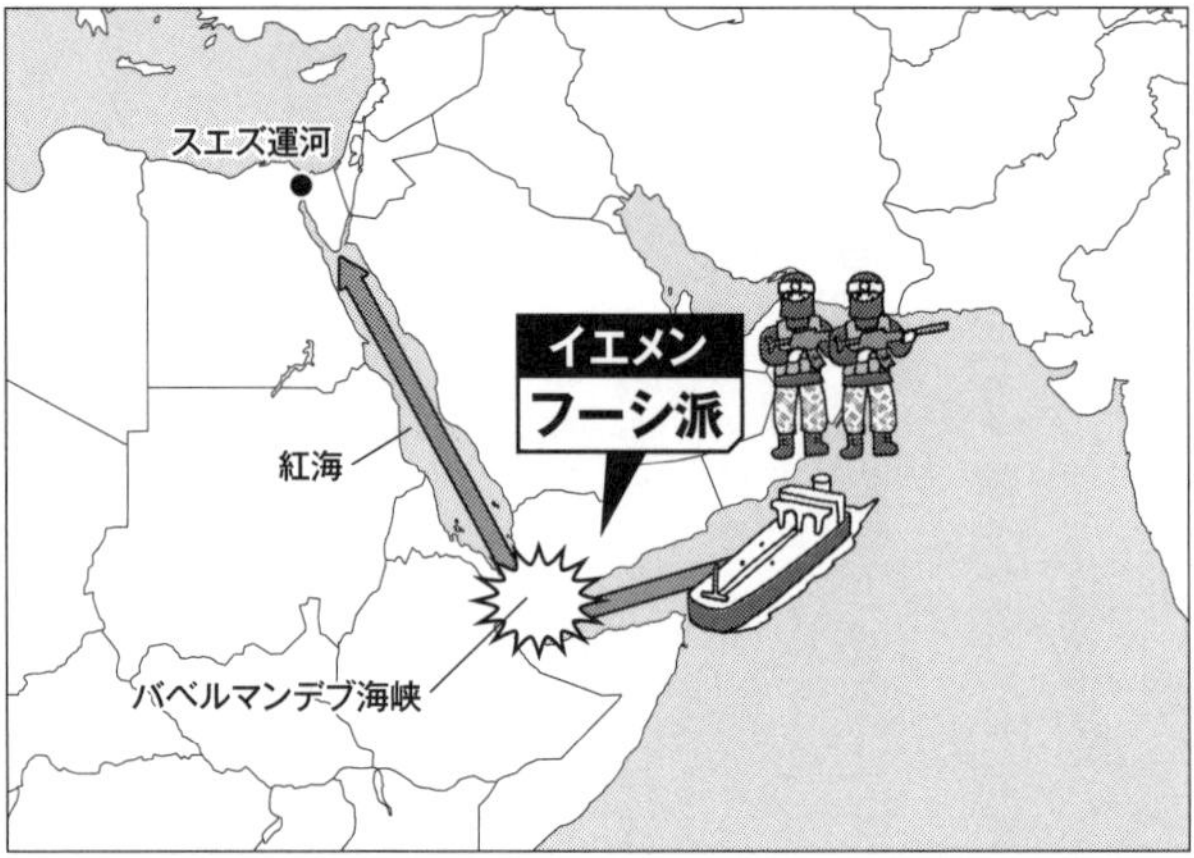

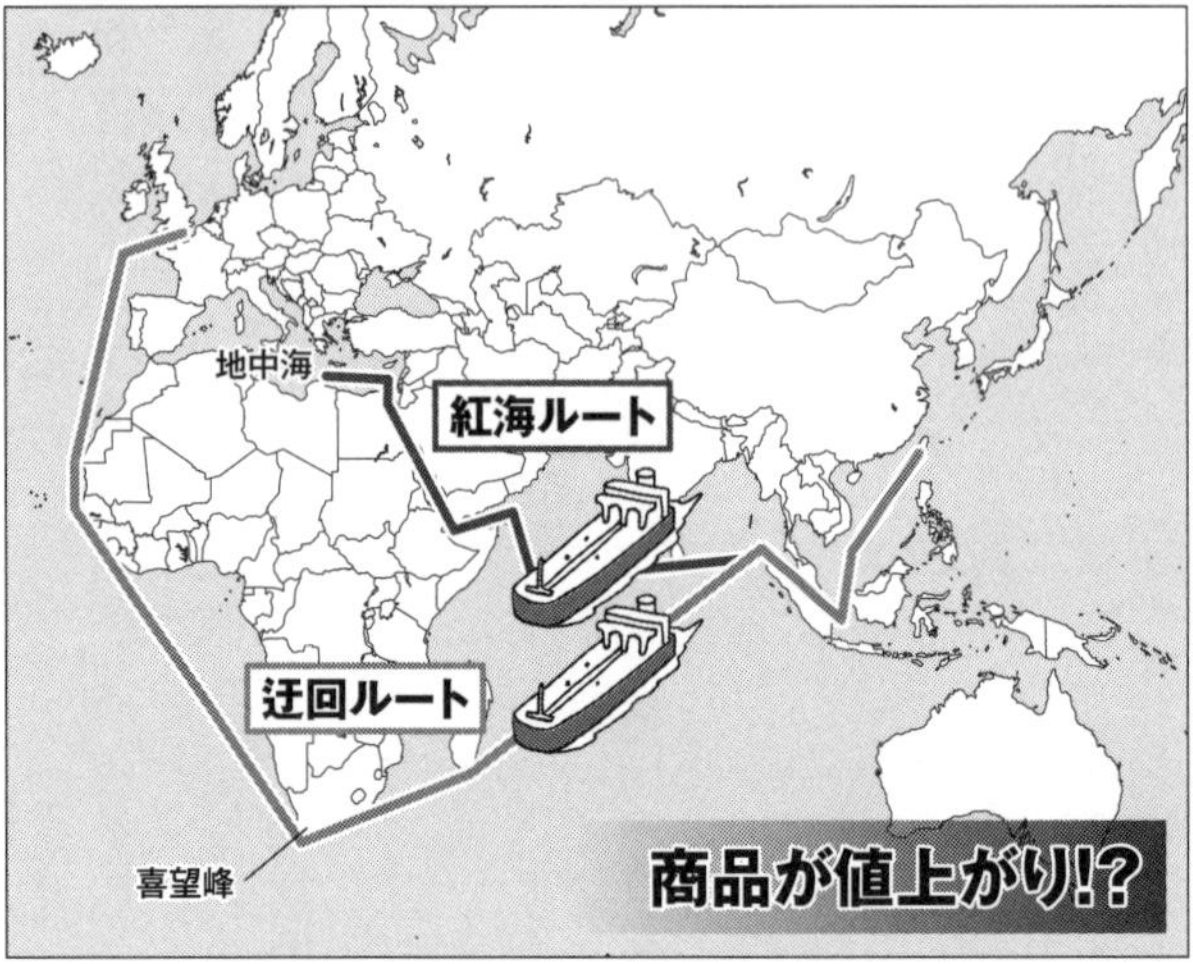

スラエルと関係のある会社の船を攻撃すると宣言し、紅海の南の出入り口にあたるバベルマンデブ海峡を通る貨物船などを次々にミサイルなどで攻撃しています。

そうなると、この海峡を通る紅海ルートは相当リスクが高くなり、避けた方が無難です。代わりにどこを通りますか？

アフリカ南端の喜望峰《きぼうほう》を通る迂回《うかい》ルートを使うしかありません。しかしこれは、地図を見れば一目瞭然《いちもくりょうぜん》で大変な遠回りになります。燃料代も乗組員の人件費も跳《は》ね上がり、貨物船はチャーターが多いそうなのでチャーター料金も上がります。

その結果、日本が中東やヨーロッパ方面から輸入するいろいろな商品は軒並み値上がりするでしょう。最近の日本は円安もあって物価高に悩まされていますが、その傾向はこれからも続くことになります。

結局、攻撃が終わらなければ私たちの生活にも大きな影響が出ることは確実です。

著者略歴

池上　彰（いけがみ・あきら）

1950年、長野県松本市生まれ。慶應義塾大学経済学部を卒業後、NHKに記者として入局。さまざまな事件、災害、教育問題、消費者問題などを担当する。1994年4月から11年間にわたり「週刊こどもニュース」のお父さん役として活躍。

わかりやすく丁寧な解説に子どもだけでなく大人まで幅広い人気を得る。

2005年3月、NHK退職を機にフリーランスのジャーナリストとしてテレビ、新聞、雑誌、書籍など幅広いメディアで活動。

名城大学教授、東京工業大学特命教授など、5大学で教鞭を執る。

おもな著書に『伝える力』シリーズ（PHPビジネス新書）、『知らないと恥をかく世界の大問題』シリーズ（角川新書）、『なんのために学ぶのか』『20歳の自分に教えたいお金のきほん』『20歳の自分に教えたい現代史のきほん』『20歳の自分に教えたい地政学のきほん』『20歳の自分に教えたい経済のきほん』『第三次世界大戦　日本はこうなる』『世界インフレ　日本はこうなる』（SB新書）など、ベストセラー多数。

番組紹介

池上彰のニュース そうだったのか!!

最近大きな話題となっているニュースの数々、そして今さら「知らない」とは恥ずかしくて言えないニュースの数々を池上彰が基礎から分かりやすく解説します！ニュースに詳しい方も、普段はニュースなんて見ない、という方も「そうだったのか！」という発見が生まれます。土曜の夜はニュースについて、家族そろって学んでみませんか？

- テレビ朝日系全国ネット
  土曜よる8時～放送中
- 〈ニュース解説〉池上 彰
- 〈進行〉宇賀なつみ

■本書は、「池上彰のニュースそうだったのか!!」（2023年10月14日、11月4日、11日、18日、25日、12月2日、2024年3月9日）の放送内容の一部から構成し、編集・加筆しました。

SB新書　660

20歳《さい》の自《じ》分《ぶん》に教《おし》えたいイスラム世《せ》界《かい》

2024年7月15日　初版第1刷発行

著　　者　池上《いけがみ》 彰《あきら》 ＋「池上彰《いけがみあきら》のニュースそうだったのか!!」スタッフ
発 行 者　出井貴完
発 行 所　SBクリエイティブ株式会社
〒105-0001　東京都港区虎ノ門2-2-1
装　　幀　杉山健太郎
本文デザイン
D　T　P　株式会社キャップス
図版作成
編集協力　渡邊 茂
イラスト　堀江篤史
写　　真　テレビ朝日
共同通信社
アフロ
装　　画　羽賀翔一／コルク
編集担当　美野晴代
印刷・製本　中央精版印刷株式会社

本書をお読みになったご意見・ご感想を下記URL、
または左記QRコードよりお寄せください。
https://isbn2.sbcr.jp/26204/

落丁本、乱丁本は小社営業部にてお取り替えいたします。定価はカバーに記載されております。
本書の内容に関するご質問等は、小社学芸書籍編集部まで必ず書面にて
ご連絡いただきますようお願いいたします。

ISBN　978-4-8156-2620-4